Memo

※ 정답은 홈페이지(www.a-ssam.co.kr)의 학습자료실에서 내려받으실 수 있습니다.

01. 함수의 극한   본문 p.001

1 (1) -2 (2) $\frac{2}{3}$ (3) $\frac{3}{2}$ (4) 6   **2** 3   **3** 4   **4** ④   **5** ③
6 ④   **7** ㄱ, ㄴ, ㄹ   **8** 0   **9** 2   **10** 13
11 ㄱ, ㄴ, ㄹ   **12** 2   **13** ①   **14** $a=9$, $b=-3$
15 -2 **16** ⑤   **17** 12   **18** 48   **19** 10   **20** 6
21 ㄴ, ㄷ   **22** 8   **23** 6   **24** $\frac{3}{4}$

02. 함수의 연속   본문 p.016

1 ④   **2** ⑤   **3** ⑤   **4** 6   **5** 4   **6** 1   **7** ④   **8** -4
9 0   **10** ③
11 3   **12** ㄱ, ㄴ   **13** $3\sqrt{3}$ **14** 0   **15** ㄱ   **16** $\frac{1}{4}$
17 -4 **18** ㄱ, ㄴ   **19** ④   **20** 0
21 80   **22** 8   **23** ㄱ, ㄴ   **24** 3

03. 미분계수   본문 p.029

1 2   **2** ⑤   **3** 9   **4** 12   **5** ④   **6** ㄴ, ㄷ   **7** 12
8 ③   **9** ㄴ, ㄹ   **10** (1) a, d (2) b, c
11 28   **12** 12   **13** ①   **14** 6   **15** ㄱ, ㄷ
16 14   **17** 16   **18** ⑤   **19** -7 **20** ㄴ
21 ①   **22** $\sqrt{3}$ **23** 0   **24** ③

04. 도함수   본문 p.042

1 (1) $y'=6x^2-6x+1$ (2) $y'=x^2+x$
(3) $y'=8x^3-3x^2+2$ (4) $y'=18x^2+26x$
2 ②   **3** -2 **4** 27   **5** 20   **6** 4   **7** 3   **8** 2   **9** 29
10 9
11 160   **12** ②   **13** $f(x)=x^2+\frac{1}{2}$ **14** 195
15 -20 **16** 1   **17** ①   **18** -1 **19** -8
20 -2
21 35   **22** 28   **23** -50 **24** 118

05. 접선의 방정식과 평균값 정리   본문 p.057

1 6   **2** (1) $y=-x$ (2) $y=x+3$ **3** -2 **4** 2   **5** ②
6 7   **7** ②   **8** -8 **9** $\sqrt{3}$ **10** ⑤
11 1   **12** ②   **13** ②   **14** 16   **15** ②
16 P$\left(5, \frac{35}{2}\right)$ **17** ②   **18** 97   **19** $-\frac{9}{2}$ **20** 8
21 -1 **22** 45   **23** $\frac{1}{2}$ **24** 20   **25** 13

06. 증가·감소와 극대·극소   본문 p.071

1 ①   **2** (1) 극솟값: 1, 극댓값: 5
(2) 극솟값: -11, 극댓값: 5   **3** -22 **4** ⑤
5 0   **6** -3 **7** ④   **8** 10   **9** 6   **10** 17
11 ③   **12** 15   **13** 2   **14** 극댓값: 4, 극솟값: 0
15 $\frac{3}{8}$ **16** 20   **17** $-\frac{2}{3}<a<1$ **18** ②
19 ②   **20** 한 변의 길이: $\frac{20}{3}$, 최대 부피: $\frac{4000}{27}$
21 10   **22** $3\sqrt{3}-3$ **23** 3   **24** 12

07. 도함수의 활용   본문 p.085

1 7   **2** (1) 1 (2) 2   **3** 31   **4** ③   **5** ②   **6** ③
7 6   **8** 16 m   **9** -15 m/s   **10** ①
11 ③   **12** $0<a<1$ **13** 2   **14** 13   **15** $a\geq5$
16 6   **17** ④   **18** $\frac{1}{3}$ **19** ③   **20** ④
21 1   **22** ④   **23** 48   **24** 16

08. 부정적분   본문 p.098

1 8   **2** 1   **3** (1) $2x^2+C$ (2) $\frac{1}{3}x^3-\frac{1}{2}x^2+x+C$
4 0   **5** $-\frac{8}{3}$ **6** 42   **7** 1   **8** -9 **9** ②   **10** ①
11 ⑤   **12** 30   **13** 18   **14** 36   **15** ②   **16** 15
17 9   **18** ③   **19** ②   **20** 0
21 27   **22** ③   **23** ②   **24** $\frac{728}{3}$

09. 정적분   본문 p.111

1 (1) -15 (2) 27   **2** $-\frac{1}{3}$ **3** ①   **4** 3   **5** 20
6 160   **7** ④   **8** ②   **9** 8   **10** $\frac{5}{6}$
11 $\frac{20}{21}$ **12** $\frac{7}{12}$ **13** 0   **14** ④   **15** 8   **16** 5
17 ①   **18** 6   **19** 29   **20** $\frac{1}{6}$
21 4   **22** 16   **23** ④   **24** 8

10. 정적분의 응용   본문 p.124

1 0   **2** 8   **3** 6   **4** ④   **5** 20   **6** ④   **7** 27   **8** $-\frac{5}{3}$
9 1   **10** ⑤
11 0   **12** 30   **13** 8   **14** 2   **15** $\frac{5}{6}$ **16** 9
17 4   **18** 12   **19** 3   **20** -2
21 -6 **22** 10   **23** ②   **24** 14

11. 정적분의 활용   본문 p.137

1 $\frac{4}{3}$ **2** $\frac{1}{12}$ **3** (1) $\frac{125}{6}$ (2) 4   **4** 3   **5** 8   **6** ②
7 4   **8** ①   **9** ⑤   **10** ③
11 2 : 1 : 3   **12** $\frac{1}{4}$ **13** $\frac{41}{2}$ **14** $\frac{4}{3}$ **15** ③
16 $2-\sqrt[3]{4}$ **17** $\frac{14}{3}$ **18** 32   **19** ⑤   **20** ③
21 8   **22** $\frac{1}{6}$ **23** $\frac{64}{9}$ **24** 6

수학의

샘

Spring of mathematics

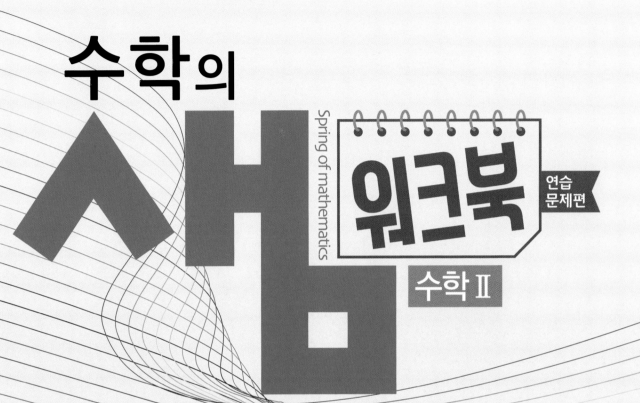

워크북

연습
문제편

수학 Ⅱ

차례

※ 집필 및 연구 : 아샘수학연구소　편집 및 디자인 : 김세리

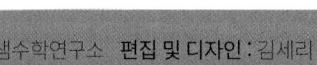

01 함수의 극한

1. 함수의 극한
① 함수의 극한과 수렴
② 좌극한과 우극한
③ 함수의 발산
④ $x \to \infty$일 때, 함수 $y=f(x)$의 극한

2. 함수의 극한의 성질
① 함수의 극한에 대한 성질
② 여러 가지 함수의 극한
③ 수렴하는 분수함수의 극한
④ 함수의 극한의 대소 관계

---

1. 함수의 극한과 수렴

함수 $y=f(x)$에서 x가 a와 다른 값을 가지면서 a에 한없이 가까워질 때, $f(x)$의 값이 일정한 값 α에 한없이 가까워지면 함수 $y=f(x)$는 α에 수렴한다고 하고, 기호로

$$\lim_{x \to a} f(x) = \alpha \text{ 또는 } x \to a\text{일 때, } f(x) \to \alpha$$

와 같이 나타낸다. 이때, α를 $x \to a$일 때, 함수 $y=f(x)$의 극한 또는 극한값이라고 한다.

2. 좌극한값과 우극한값

(1) $\lim\limits_{x \to a-} f(x) = \alpha$일 때, α를 $x=a$에서 함수 $y=f(x)$의 좌극한값이라고 한다.

(2) $\lim\limits_{x \to a+} f(x) = \beta$일 때, β를 $x=a$에서 함수 $y=f(x)$의 우극한값이라고 한다.

3. 함수의 극한에 대한 성질

$\lim\limits_{x \to a} f(x) = \alpha$, $\lim\limits_{x \to a} g(x) = \beta$ (α, β는 실수)일 때,

(1) $\lim\limits_{x \to a} kf(x) = k\lim\limits_{x \to a} f(x) = k\alpha$ (단, k는 상수)

(2) $\lim\limits_{x \to a} \{f(x) \pm g(x)\} = \lim\limits_{x \to a} f(x) \pm \lim\limits_{x \to a} g(x) = \alpha \pm \beta$ (복부호 동순)

(3) $\lim\limits_{x \to a} f(x)g(x) = \lim\limits_{x \to a} f(x) \lim\limits_{x \to a} g(x) = \alpha\beta$

(4) $\lim\limits_{x \to a} \dfrac{f(x)}{g(x)} = \dfrac{\lim\limits_{x \to a} f(x)}{\lim\limits_{x \to a} g(x)} = \dfrac{\alpha}{\beta}$ (단, $\beta \neq 0$)

4. 수렴하는 분수함수의 극한

(1) $\lim\limits_{x \to a} \dfrac{f(x)}{g(x)} = \alpha$ (α는 실수)이고, $\lim\limits_{x \to a} g(x) = 0$이면 ➡ $\lim\limits_{x \to a} f(x) = 0$

(2) $\lim\limits_{x \to a} \dfrac{f(x)}{g(x)} = \alpha$ (α는 0이 아닌 실수)이고, $\lim\limits_{x \to a} f(x) = 0$이면 ➡ $\lim\limits_{x \to a} g(x) = 0$

5. 함수의 극한의 대소 관계

a에 가까운 모든 x의 값에 대하여 (α, β는 실수)

(1) $f(x) \leq g(x)$이고, $\lim\limits_{x \to a} f(x) = \alpha$, $\lim\limits_{x \to a} g(x) = \beta$이면 ➡ $\alpha \leq \beta$

(2) $f(x) \leq h(x) \leq g(x)$이고, $\lim\limits_{x \to a} f(x) = \lim\limits_{x \to a} g(x) = \alpha$이면 ➡ $\lim\limits_{x \to a} h(x) = \alpha$

1-1

다음 극한값을 구하시오.

(1) $\lim\limits_{x \to -1} \dfrac{x^2-1}{x+1}$ ○ △ ✕

(2) $\lim\limits_{x \to \infty} \dfrac{2x^2-7x+1}{3x^2-5x+1}$ ○ △ ✕

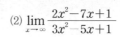

(3) $\lim\limits_{x \to \infty} (\sqrt{x^2+3x+4}-x)$

(4) $\lim\limits_{x \to -2} \dfrac{x+2}{\sqrt{x+11}-3}$

두 함수 $f(x)=x^3-27$, $g(x)=x^2-9$에 대하여 $\lim\limits_{x \to 3}\dfrac{2f(x)}{3g(x)}$의 값을 구하시오. (O △ X)

$\lim\limits_{x \to -\infty}\dfrac{\sqrt{x^2+1}+5x}{x-3}$의 값을 구하시오. (O △ X)

정의역이 $\{x \mid -2 \le x \le 1\}$인 함수 $y=f(x)$의 그래프가 그림과 같을 때, $\lim\limits_{x \to -1-} f(x) + \lim\limits_{x \to 0+} f(x) + \lim\limits_{x \to 1-} f(x)$의 값은?

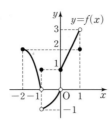

① 1 ② 2 ③ 3
④ 4 ⑤ 5

○ △ X

함수 $y=f(x)$의 그래프가 그림과 같을 때, $\lim\limits_{x \to 1} f(x) + f(1)$의 값은?

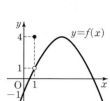

① 3 ② 4 ③ 5
④ 6 ⑤ 7

○ △ X

함수 $f(x)=\begin{cases} x^2-3x+a & (x\geq 1) \\ -x+b & (x<1) \end{cases}$ 에 대하여 $\lim_{x\to 1+} f(x)=3$, $\lim_{x\to 1-} f(x)=-2$일 때, 두 상수 a, b의 합 $a+b$의 값은?   (○ △ X)

① 1   ② 2   ③ 3   ④ 4   ⑤ 5

그림은 정의역이 $\{x\,|\,a\leq x<e\}$인 함수 $y=f(x)$의 그래프이다. 이 그래프에 대한 설명으로 보기에서 옳은 것만을 있는 대로 고르시오.

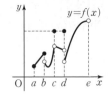

┤ 보기 ├

ㄱ. $x=b$일 때, 함숫값은 존재하고 극한값은 존재하지 않는다.

ㄴ. $x=c$일 때, 함숫값이 존재한다.

ㄷ. 이 함수의 최댓값은 $f(d)$이다.

ㄹ. $x=d$일 때, 좌극한과 우극한이 일치하지 않는다.

(○ △ X)

두 함수 $y=f(x)$, $y=g(x)$가

$$\lim_{x \to 1}\{2f(x)+3\}=7, \quad \lim_{x \to 1}\{3g(x)-f(x)\}=4$$

를 만족시킬 때, $\lim_{x \to 1}\{f(x)-g(x)\}$의 값을 구하시오.

○ △ X

$\lim_{x \to 1} \dfrac{x^2-ax-3}{x-1}=b$를 만족시키는 두 상수 a, b에 대하여 $a+b$의 값을 구하시오. ○ △ X

1-10

일차함수 $f(x)=ax+b$가 다음 조건을 만족시킬 때, $f(3)$의 값을 구하시오.

(단, a, b는 상수이다.)

(O △ X)

(가) $\lim\limits_{x\to\infty}\dfrac{f(x)}{2x-1}=2$ (나) $\lim\limits_{x\to-1}f(x)=-3$

1-11

보기에서 극한값이 존재하는 것만을 있는 대로 고르시오.

(단, $[x]$는 x보다 크지 않은 최대의 정수이다.)

(O △ X)

┤ 보기 ├

ㄱ. $\lim\limits_{x\to2-}\dfrac{x-2}{|x-2|}$ ㄴ. $\lim\limits_{x\to0}\dfrac{x^2}{|x|}$

ㄷ. $\lim\limits_{x\to1}[x]$ ㄹ. $\lim\limits_{x\to1+}[3-2x]$

함수 $f(x) = \begin{cases} x^2 + 2x & (|x| \geq 1) \\ ax + b & (|x| < 1) \end{cases}$ 에 대하여 극한값 $\lim_{x \to -1} f(x)$와 $\lim_{x \to 1} f(x)$가 존재하도록 두

상수 a, b의 값을 정할 때, $f\left(\dfrac{1}{2}\right)$의 값을 구하시오. 〔 O △ X 〕

$\lim_{x \to 2} \dfrac{x-2}{x^2 + ax + b} = \dfrac{1}{6}$ 을 만족시키는 두 상수 a, b에 대하여 $a + b$의 값은? 〔 O △ X 〕

① -6 ② -4 ③ -2 ④ 1 ⑤ 3

함수 $f(x)=\sqrt{a-x}+b$에 대하여 $\lim\limits_{x\to 0}\dfrac{x}{f(x)}=-6$일 때, 두 상수 a, b의 값을 구하시오.

(O △ X)

두 함수 $y=f(x)$, $y=g(x)$의 그래프가 그림과 같을 때,
$$\lim_{x\to 1-} f(g(x))=a, \quad \lim_{x\to 1+} f(g(x))=b, \quad \lim_{x\to -1+} g(f(x))=c$$
이다. 이때, $a+b+c$의 값을 구하시오.

(O △ X)

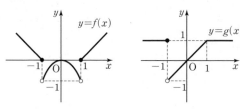

1-16

함수 $y=f(x)$에 대하여 $\lim\limits_{x\to 2}\dfrac{f(x-2)}{x^2-2x}=5$일 때, $\lim\limits_{x\to 0}\dfrac{f(x)}{x}$의 값은? ○ △ X

① 2　　　② 4　　　③ 6　　　④ 8　　　⑤ 10

1-17

양의 실수 전체의 집합에서 정의된 함수 $y=f(x)$가 $3x^2+ax\le f(x)\le 4x^2+ax$를 만족시키고 $\lim\limits_{x\to 0+}\dfrac{f(x)}{3x}=4$일 때, 상수 a의 값을 구하시오. ○ △ X

아름다운샘

삼차함수 $y=f(x)$가 $\lim_{x \to 1} \dfrac{f(x)}{x-1}=2$, $\lim_{x \to 2} \dfrac{f(x)}{x-2}=-4$를 만족시킬 때, $f(-2)$의 값을 구하시오.

○ △ X

다항함수 $y=f(x)$가

$$\lim_{x \to 0+} \frac{x^3 f\left(\dfrac{1}{x}\right)-1}{x^3+x}=5, \quad \lim_{x \to 1} \frac{f(x)}{x^2+x-2}=\frac{1}{3}$$

을 만족시킬 때, $f(2)$의 값을 구하시오.

○ △ X

1-20

곡선 $y=x^2$ 위의 점 $P(x, x^2)$에 대하여 $A(x)$를 $O(0, 0)$, $P(x, x^2)$, $Q(1, 0)$을 꼭짓점으로 하는 삼각형의 넓이라 하고, $B(x)$를 $O(0, 0)$, $P(x, x^2)$, $R(0, 3)$을 꼭짓점으로 하는 삼각형의 넓이라 할 때, $\lim\limits_{x \to 0+} \dfrac{2xB(x)}{A(x)}$의 값을 구하시오. (단, $x>0$)

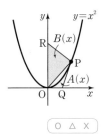

○ △ X

1-21

두 함수 $f(x)=\begin{cases} \dfrac{x}{|x|} & (x \ne 0) \\ 0 & (x=0) \end{cases}$, $g(x)=x^3-x$에 대하여 **보기**에서 그 값이 존재하는 것만을 있는 대로 고르시오.

○ △ X

┤ 보기 ├

ㄱ. $\lim\limits_{x \to 0} f(g(x))$ ㄴ. $\lim\limits_{x \to 0} g(f(x))$ ㄷ. $f(\lim\limits_{x \to 0} g(x))$ ㄹ. $g(\lim\limits_{x \to 0} f(x))$

세 자연수 a, b, c에 대하여 삼차함수 $f(x)=x^3+(2a-1)x^2+bx+c$가 다음 조건을 만족시킬 때, $a+b+c$의 값을 구하시오. ◯ △ ✕

> (가) $\displaystyle\lim_{x \to -1} \frac{f(x)}{x^3+1}=\frac{1}{3}$ (나) 방정식 $f(x)=0$은 허근을 갖는다.

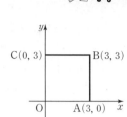

좌표평면 위에 원점 O와 세 점 $\mathrm{A}(3, 0)$, $\mathrm{B}(3, 3)$, $\mathrm{C}(0, 3)$이 있다. 양수 a에 대하여 유리함수 $y=\dfrac{1}{x-a}+a$의 그래프가 정사각형 OABC의 둘레와 만나는 점의 개수를 $f(a)$라 하자. $\displaystyle\lim_{a \to 1+} f(a) + \lim_{a \to 4-} f(a)$의 값을 구하시오.

◯ △ ✕

그림과 같이 x축 위의 점 $P(a, 0)$을 지나고 y축에 평행한 직선이 원 $x^2+(y-3)^2=9$, 곡선 $y=\dfrac{1}{8}x^2$과 만나는 점을 아래로부터 차례로 A, B, C라 하자. 이때, $\lim\limits_{a \to 0+}\left(\dfrac{\overline{PA}}{\overline{PB}}+\dfrac{\overline{PB}}{\overline{PC}}\right)$의 값을 구하시오.

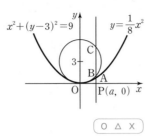

○ △ ✕

02
함수의 연속

1. **함수의 연속**
   ① 함수의 연속
   ② 구간
   ③ 연속함수

2. **연속함수의 성질**
   ① 연속함수의 성질
   ② 최대 · 최소 정리
   ③ 사잇값 정리

핵심 Point

1. 함수의 연속

(1) 함수 $y=f(x)$가 다음 세 조건

   (i) $x=a$에서 정의되어 있고

   (ii) $\lim\limits_{x \to a} f(x)$가 존재하며

   (iii) $\lim\limits_{x \to a} f(x)=f(a)$

   를 만족시킬 때, 함수 $y=f(x)$는 $x=a$에서 연속이라고 한다.

(2) 함수 $y=f(x)$가 $x=a$에서 연속이 아닐 때, 이 함수는 $x=a$에서 불연속이라고 한다.

2. 구간에서의 연속

함수 $y=f(x)$가

   (i) 열린구간 $(a,\ b)$에서 연속이고

   (ii) $\lim\limits_{x \to a+} f(x)=f(a),\quad \lim\limits_{x \to b-} f(x)=f(b)$

일 때, 함수 $y=f(x)$는 닫힌구간 $[a,\ b]$에서 연속이라고 한다.

3. 연속함수의 성질

두 함수 $y=f(x)$, $y=g(x)$가 모두 $x=a$에서 연속이면 다음 함수도 $x=a$에서 연속이다.

(1) $y=cf(x)$ (단, c는 상수)   (2) $y=f(x) \pm g(x)$

(3) $y=f(x)g(x)$ (4) $y=\dfrac{f(x)}{g(x)}$ (단, $g(a) \neq 0$)

4. 최대 · 최소 정리

함수 $y=f(x)$가 닫힌구간 $[a,\ b]$에서 연속이면 $y=f(x)$는 이 구간에서 반드시 최댓값과 최솟값을 갖는다.

5. 사잇값 정리

함수 $y=f(x)$가 닫힌구간 $[a,\ b]$에서 연속이고 $f(a) \neq f(b)$일 때, $f(a)$와 $f(b)$ 사이에 있는 임의의 실수 k에 대하여

$$f(c)=k$$

를 만족시키는 c가 열린구간 $(a,\ b)$에 적어도 하나 존재한다.

2-1

함수 $y=f(x)$ $(0<x<4)$의 그래프가 그림과 같다. 함수
$y=f(x)$의 극한값이 존재하지 않는 x의 개수를 a, 불연속인 x의
개수를 b라 할 때, $a+b$의 값은?

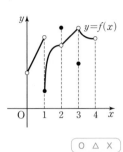

① 1   ② 2   ③ 3
④ 4   ⑤ 5

2-2

함수 $f(x)=\dfrac{x-1}{x^2-5x+6}$이 $x=a$, $x=b$에서 불연속일 때, 두 상수 a, b의 합 $a+b$의 값은?

① 1   ② 2   ③ 3   ④ 4   ⑤ 5

함수 $f(x) = \begin{cases} 3x+2 & (x \geq 1) \\ a & (x < 1) \end{cases}$ 가 모든 실수에서 연속일 때, 상수 a의 값은? ○ △ X

① 1   ② 2   ③ 3   ④ 4   ⑤ 5

연속함수 $y = f(x)$가 $(x-2)f(x) = x^2 + 2x - 8$을 만족시킬 때, $f(2)$의 값을 구하시오. ○ △ X

함수 $f(x) = \begin{cases} \dfrac{x^2+ax-4}{x-2} & (x \neq 2) \\ b & (x=2) \end{cases}$ 가 $x=2$에서 연속이 되도록 하는 두 실수 a, b에 대하여

$a+b$의 값을 구하시오.　　　　　　　　　　　　　　　O △ X

함수 $f(x) = \begin{cases} \dfrac{\sqrt{1+x}-\sqrt{1-x}}{x} & (x \neq 0) \\ a & (x=0) \end{cases}$ 가 $x=0$에서 연속이기 위한 상수 a의 값을 구하

시오.　　　　　　　　　　　　　　　O △ X

2-7

두 함수 $f(x)=x+\dfrac{1}{2}$, $g(x)=1+x^2$에 대하여 다음 중 실수 전체에서 연속함수가 <u>아닌</u> 것은?

① $y=f(x)+2g(x)$ ② $y=f(x)g(x)$ ③ $y=\dfrac{f(x)}{g(x)}$

④ $y=\dfrac{g(x)}{f(x)}$ ⑤ $y=g(f(x))$

2-8

두 함수 $y=f(x)$와 $y=g(x)$가 다음 조건을 만족시킨다.

> (가) $f(x)=2x+1$, $g(x)=x^2+2kx-4k+5$
>
> (나) $y=\dfrac{f(x)}{g(x)}$ 는 모든 실수 x에 대하여 연속이다.

정수 k의 최솟값을 구하시오.

정의역이 $\{x \mid -3 \le x \le 1\}$인 함수 $f(x) = \dfrac{3}{x-2}$의 최댓값을 M, 최솟값을 m이라 할 때,

$5M - m$의 값을 구하시오.

〇 △ X

방정식 $x^3 + 3x^2 + 4x - 6 = 0$이 오직 하나의 실근을 가질 때, 다음의 열린구간 중 이 방정식의 실근이 존재하는 구간은?

〇 △ X

① $(-2, -1)$ ② $(-1, 0)$ ③ $(0, 1)$

④ $(1, 2)$ ⑤ $(2, 3)$

2-11

함수 $y=f(x)$ $(0 \leq x \leq 6)$의 그래프가 그림과 같다. $P(k)=f(k)-\lim\limits_{x \to k} f(x)$라 할 때,

$P(1)+P(2)+P(3)+P(4)+P(5)$의 값을 구하시오.

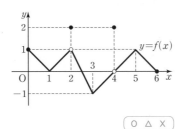

(○ △ X)

2-12

$x=0$에서 연속인 함수인 것만을 **보기**에서 있는 대로 고르시오.

(단, $[x]$는 x보다 크지 않은 최대의 정수이다.)

(○ △ X)

┤ 보기 ├

ㄱ. $f(x)=x|x|$ ㄴ. $g(x)=x[x]$ ㄷ. $h(x)=\begin{cases} \dfrac{|x|}{x} & (x \neq 0) \\ 1 & (x=0) \end{cases}$

$$2-13$$

함수 $f(x) = \begin{cases} \dfrac{a\sqrt{2x+1}-b}{x-1} & (x>1) \\ 3x-2 & (x\le 1) \end{cases}$ 이 $x=1$에서 연속일 때, 두 상수 a, b에 대하여 ab의 값을 구하시오.

○ △ X

$$2-14$$

연속인 함수 $y=f(x)$가 $f(x+3)=f(x)$이고 $f(x)=\begin{cases} 4x & (0\le x<1) \\ a(x-1)^2+b & (1\le x\le 3) \end{cases}$ 로 정의된다고 한다. 이때, $f(2019)$의 값을 구하시오.

○ △ X

아름다운샘

023

2-15

함수 $y=f(x)$의 그래프가 그림과 같을 때, **보기**에서 옳은 것만을 있는 대로 고르시오.

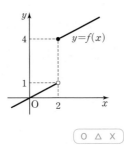

┤ 보기 ├

ㄱ. $f(f(2))$의 값은 존재한다.

ㄴ. $\lim\limits_{x \to 2} f(f(x))$의 값은 존재한다.

ㄷ. $y=f(f(x))$는 $x=2$에서 연속이다.

○ △ X

2-16

연속함수 $y=f(x)$에 대하여 $\lim\limits_{x \to 0} \dfrac{f(x)}{x} = \dfrac{1}{2}$일 때, 함수 $g(x) = \dfrac{f(x-1)}{x^2-1}$이 $x=1$에서 연속이다. 이때, $g(1)$의 값을 구하시오.

○ △ X

아름다운샘

2-17

$x>0$일 때, 함수 $f(x)=\lim\limits_{n\to\infty}\dfrac{x^{n+1}+5x+a}{x^n+1}$ 가 $x=1$에서 연속이 되도록 하는 상수 a의 값을 구하시오.

(O △ X)

2-18

함수 $y=f(x)$의 그래프가 그림과 같을 때, 함수 $y=f(x)g(x)$가 $x=0$에서 연속이 되도록 하는 것만을 **보기**에서 있는 대로 고르시오.

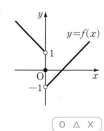

┤ 보기 ├

ㄱ. $g(x)=x^2$ ㄴ. $g(x)=x$

ㄷ. $g(x)=-2x+1$

(O △ X)

2-19

함수 $y=f(x)$의 그래프가 **보기**와 같이 주어질 때, 함수 $y=f(x-1)f(x+1)$이 $x=-1$에서 연속이 되는 것만을 있는 대로 고른 것은? (○ △ X)

───┤ 보기 ├───

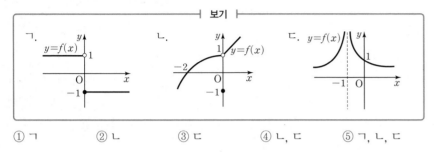

① ㄱ　　　② ㄴ　　　③ ㄷ　　　④ ㄴ, ㄷ　　　⑤ ㄱ, ㄴ, ㄷ

2-20

방정식 $x^3+2x+a=0$이 열린구간 $(-1, 1)$에서 적어도 하나의 실근을 가질 때, 상수 a의 값의 범위는 $\alpha < a < \beta$이다. 이때, $\alpha+\beta$의 값을 구하시오. (○ △ X)

연습문제

2-21

함수 $y=f(x)$ 가 $f(x)=\begin{cases} \dfrac{x^2+ax+b}{x-2} & (x\neq2) \\ -2x+c & (x=2) \end{cases}$ 로 정의될 때, 함수 $y=f(x)$는 모든 실수 x

에 대하여 연속이다. $\lim\limits_{x\to\infty}\{f(x)-x\}=3$일 때, $20(a+b+c)$의 값을 구하시오.

(단, a, b, c는 상수이다.)

○ △ X

2-22

그림과 같이 열린구간 $(0, 6)$에서 정의된 함수 $y=f(x)$에 대하여

함수 $y=g(x)$를

$$g(x)=\begin{cases} \{f(x)\}^2-1 & (0<x\leq2) \\ (x-2)f(x) & (2<x\leq4) \\ (f\circ f)(x) & (4<x<6) \end{cases}$$

라 하자. 함수 $y=g(x)$가 $x=n$에서 연속이 되는 자연수 n의 값의 합을 구하시오.

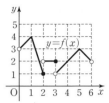

○ △ X

임의의 두 실수 x, y에 대하여 $f(x+y)=f(x)+f(y)+2xy-1$을 만족시키는 함수 $y=f(x)$가 $x=0$에서 연속이다. 함수 $y=f(x)$에 대한 설명으로 옳은 것만을 **보기**에서 있는 대로 고르시오. 〔 ○ △ X 〕

─────┤ 보기 ├─────

ㄱ. $\lim\limits_{x\to 0} f(x)=1$ ㄴ. $\lim\limits_{x\to 1} f(x)=f(1)$ ㄷ. $\lim\limits_{x\to 3} f(x)\neq f(3)$

함수 $f(x)=\begin{cases} -x-3 & (x<0) \\ x^2-4x+3 & (x\geq 0) \end{cases}$ 에 대하여 함수 $y=f(x)f(x-a)$가 실수 전체의 집합에서 연속이 되도록 하는 상수 a의 개수를 구하시오. 〔 ○ △ X 〕

03 미분계수

1. 미분계수
   ① 평균변화율
   ② 미분계수
   ③ 미분계수의 기하학적 의미

2. 미분가능성과 연속성
   ① 미분가능
   ② 미분가능성과 연속성

 핵심 Point

1. 평균변화율

함수 $y=f(x)$에서 x의 값이 a에서 b까지 변할 때의 평균변화율은

$$\frac{\Delta y}{\Delta x} = \frac{f(b)-f(a)}{b-a}$$

$$= \frac{f(a+\Delta x)-f(a)}{\Delta x}$$

여기서 평균변화율은 두 점 $P(a, f(a))$, $Q(b, f(b))$를 지나는 직선의 기울기이다.

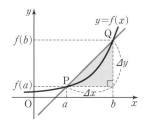

2. 미분계수

함수 $y=f(x)$의 $x=a$에서의 미분계수 $f'(a)$는

$$f'(a) = \lim_{\Delta x \to 0} \frac{f(a+\Delta x)-f(a)}{\Delta x}$$

$$= \lim_{x \to a} \frac{f(x)-f(a)}{x-a}$$

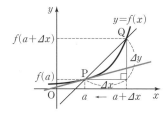

3. 미분계수와 접선의 기울기

함수 $y=f(x)$의 $x=a$에서의 미분계수 $f'(a)$가 존재할 때, 미분계수 $f'(a)$는 곡선 $y=f(x)$ 위의 점 $(a, f(a))$에서의 접선의 기울기와 같다.

4. 미분가능과 연속

(1) 함수 $y=f(x)$의 $x=a$에서의 미분계수 $f'(a)$가 존재할 때, 함수 $y=f(x)$는 $x=a$에서 미분가능하다고 한다.

(2) 함수 $y=f(x)$가 $x=a$에서 미분가능하면 함수 $y=f(x)$는 $x=a$에서 연속이다. 그러나 그 역은 성립하지 않는다.

함수
연속인 함수
미분가능한 함수

아름다운샘

3-1

함수 $f(x)=x^2-1$에 대하여 x의 값이 1에서 3까지 변할 때의 평균변화율과 $x=c$에서의 순간 변화율이 같을 때, c의 값을 구하시오. ⃝ △ ✕

3-2

다항함수 $y=f(x)$에 대하여 $\lim\limits_{h \to 0} \dfrac{f(2+3h)-f(2)}{h}$의 값과 같은 것은? ⃝ △ ✕

① $f'(1)$ ② $\dfrac{1}{2}f'(2)$ ③ $f'(2)$ ④ $2f'(2)$ ⑤ $3f'(2)$

다항함수 $y=f(x)$에서 $f'(a)=3$일 때, $\lim\limits_{h\to 0}\dfrac{f(a)-f(a-3h)}{h}$ 의 값을 구하시오.

(O △ X)

미분가능한 함수 $y=f(x)$에 대하여 $f'(1)=4$일 때, $\lim\limits_{h\to 0}\dfrac{f(1+h)-f(1-2h)}{h}$ 의 값을 구하시오.

(O △ X)

아름다운 샘

3-5

미분가능한 함수 $y=f(x)$에 대하여 $\lim\limits_{x\to 1}\dfrac{x^2-1}{f(x)-f(1)}=2$일 때, $f'(1)$의 값은? (○ △ ×)

① -2 ② -1 ③ 0 ④ 1 ⑤ 2

3-6

다항함수 $y=f(x)$에 대하여 $x=a$에서의 미분계수와 의미가 같은 것만을 **보기**에서 있는 대로 고르시오. (○ △ ×)

┤ 보기 ├

ㄱ. $\lim\limits_{h\to 0}\dfrac{f(a-h)-f(a)}{h}$ ㄴ. $\lim\limits_{x\to a}\dfrac{f(x)-f(a)}{x-a}$

ㄷ. $\lim\limits_{h\to 0}\dfrac{f(a+2h)-f(a)}{2h}$ ㄹ. $\lim\limits_{x\to a}\dfrac{f(x^2)-f(a^2)}{x-a}$

아름다운샘

3-7

곡선 $y=x^3-3$ 위의 점 $(2,\ 5)$에서의 접선의 기울기를 구하시오.

$\boxed{\text{O} \ \triangle \ \text{X}}$

3-8

그림과 같은 다항함수 $y=f(x)$의 그래프에서
$f(b)-f(a)=(b-a)f'(c)$를 만족시키는 c의 개수는?

(단, $a<c<b$)

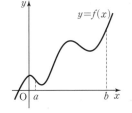

① 1   ② 2   ③ 3

④ 4   ⑤ 5

$\boxed{\text{O} \ \triangle \ \text{X}}$

3-9

$x=0$에서 연속이지만 미분가능하지 <u>않은</u> 함수만을 **보기**에서 있는 대로 고르시오. (O △ X)

┤ 보기 ├

ㄱ. $f(x)=x$

ㄴ. $f(x)=|x|$

ㄷ. $f(x)=\dfrac{1}{x}$

ㄹ. $f(x)=x+|x|$

3-10

함수 $y=f(x)$의 그래프가 그림과 같을 때, 다음을 만족시키는 x의 값을 a, b, c, d 중에서 있는 대로 적으시오.

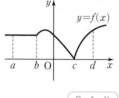

(1) 미분가능한 x의 값 (O △ X)

(2) 연속이지만 미분가능하지 않은 x의 값 (O △ X)

아름다운샘

3-11

다항함수 $y=f(x)$에 대하여 $\lim_{x \to 2} \dfrac{f(x+1)-8}{x^2-4}=5$일 때, $f(3)+f'(3)$의 값을 구하시오.

(○ △ X)

3-12

실수 전체의 집합에서 연속인 함수 $y=f(x)$가 $f(2)=f'(2)=3$, $f(4)=f'(4)=9$를 만족시

킬 때, $\lim_{x \to 2} \dfrac{f(x^2)-9}{f(x)-3}$의 값을 구하시오.

(○ △ X)

다항함수 $y=f(x)$에 대하여 $f(1)=2$, $f'(1)=4$일 때, $\lim\limits_{x \to 1} \dfrac{x^2 f(1) - f(x^2)}{x-1}$의 값은?

$\boxed{\text{O} \ \triangle \ \text{X}}$

① -4　　② -2　　③ 0　　④ 2　　⑤ 4

다항함수 $y=f(x)$에 대하여 $f(a)=3$, $f'(a)=1$, $\lim\limits_{x \to a} \dfrac{af(x) - xf(a)}{x-a}=3$일 때, 상수 a의 값을 구하시오.

$\boxed{\text{O} \ \triangle \ \text{X}}$

3-15

삼차함수 $y=f(x)$ 가 $\lim\limits_{x\to1}\dfrac{f(x)}{x^3-1}=0$ 을 만족시킬 때, **보기**에서 옳은 것만을 있는 대로 고르시오.

○ △ X

┤ 보기 ├

ㄱ. $f(1)=0$　　　　　　　　　　ㄴ. $f'(1)=2$

ㄷ. $\lim\limits_{x\to1}\dfrac{x^2f(1)-f(x)}{x^2-1}=0$

3-16

실수 전체의 집합에서 미분가능한 함수 $y=f(x)$ 와 연속인 함수 $y=g(x)$ 가

$$g(x)=\frac{f(x)-f(1)}{x^2-1},\ g(1)=7$$

일 때, $f'(1)$ 의 값을 구하시오.

○ △ X

다항함수 $y=f(x)$에 대하여 $f'(1)=\dfrac{3}{4}$일 때, $\displaystyle\lim_{n\to\infty} n\left\{f\left(1+\dfrac{a}{n}\right)-f(1)\right\}=12$를 만족시키는

실수 a의 값을 구하시오.   (O △ X)

함수 $y=f(x)$에 대하여 **보기**에서 옳은 것만을 있는 대로 고른 것은?   (O △ X)

───┤ 보기 ├───

ㄱ. $\displaystyle\lim_{h\to 0}\dfrac{f(1+h)-f(1)}{h}=0$이면 $\displaystyle\lim_{x\to 1}f(x)=f(1)$이다.

ㄴ. $\displaystyle\lim_{h\to 0}\dfrac{f(1+h)-f(1)}{h}=0$이면 $\displaystyle\lim_{h\to 0}\dfrac{f(1+h)-f(1-h)}{2h}=0$이다.

ㄷ. $f(x)=|x-1|$일 때, $\displaystyle\lim_{h\to 0}\dfrac{f(1+h)-f(1-h)}{2h}=0$이다.

① ㄱ   ② ㄷ   ③ ㄱ, ㄴ   ④ ㄴ, ㄷ   ⑤ ㄱ, ㄴ, ㄷ

3-19

함수 $f(x) = \begin{cases} ax^2 + bx & (x \geq 2) \\ -x^2 + ax - 8 & (x < 2) \end{cases}$ 이 모든 실수 x에 대하여 미분가능할 때, ab의 값을 구하

시오. (단, a, b는 상수이다.)   ○ △ X

3-20

$x = 0$에서 미분가능한 함수만을 **보기**에서 있는 대로 고르시오.

(단, $[x]$는 x보다 크지 않은 최대의 정수이다.)   ○ △ X

┤ 보기 ├

ㄱ. $f(x) = \dfrac{|x|}{x}$ ㄴ. $f(x) = x|x|$ ㄷ. $f(x) = x[x]$

3-21

자연수 n에 대하여 x의 값이 n에서 $n+1$까지 변할 때, 함수 $y=f(x)$의 평균변화율이

$\dfrac{1}{n(n+1)}$ 이다. x의 값이 1에서 100까지 변할 때, 함수 $y=f(x)$의 평균변화율은?

① $\dfrac{1}{100}$　　② $\dfrac{1}{99}$　　③ $\dfrac{1}{50}$　　④ $\dfrac{2}{99}$　　⑤ $\dfrac{3}{100}$

3-22

양의 실수 전체의 집합에서 증가하는 함수 $y=f(x)$가 $x=1$에서 미분가능하다. 1보다 큰 모든 실수 a에 대하여 두 점 $(1, f(1))$, $(a, f(a))$ 사이의 거리가 a^2-1일 때, $f'(1)$의 값을 구하시오. 　○ △ X

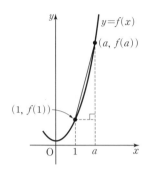

미분가능한 함수 $y=f(x)$에 대하여 $f(1)=1$, $f'(1)=2$일 때, $\displaystyle\lim_{x\to 1}\dfrac{x^6 f(1)-f(x^3)}{x^2-1}$의 값을 구하시오. (O △ X)

함수 $f(x)=\dfrac{x}{|x-1|+1}$ 에 대하여 **보기**에서 옳은 것만을 있는 대로 고른 것은? (O △ X)

┤ 보기 ├

ㄱ. 함수 $y=f(x)$는 $x=1$에서 연속이다.
ㄴ. $(x-2)f(x)$는 $x=1$에서 연속이지만 미분가능하지 않다.
ㄷ. $(x-1)(x-2)f(x)$는 $x=1$에서 연속이지만 미분가능하지 않다.

① ㄱ ② ㄷ ③ ㄱ, ㄴ ④ ㄴ, ㄷ ⑤ ㄱ, ㄴ, ㄷ

04 도함수

1. 도함수
   ① 도함수의 뜻
   ② 함수 $y=x^n$의 도함수

2. 다항함수의 미분법
   ① 실수배, 합, 차의 미분법
   ② 곱의 미분법

핵심 Point

1. 도함수

미분가능한 함수 $y=f(x)$의 도함수 $y=f'(x)$는

$$f'(x) = \lim_{\Delta x \to 0} \frac{\Delta y}{\Delta x} = \lim_{\Delta x \to 0} \frac{f(x+\Delta x)-f(x)}{\Delta x}$$

2. 함수 $y=x^n$ 및 상수함수의 도함수

(1) 함수 $y=x^n$ (n은 자연수)의 도함수는 $y'=nx^{n-1}$
(2) 함수 $y=c$ (c는 상수)의 도함수는 $y'=0$

3. 실수배, 합, 차의 미분법

두 함수 f, g가 미분가능할 때,
(1) $y=cf(x)$이면 $y'=cf'(x)$ (단, c는 상수)
(2) $y=f(x)+g(x)$이면 $y'=f'(x)+g'(x)$
(3) $y=f(x)-g(x)$이면 $y'=f'(x)-g'(x)$

4. 곱의 미분법 (1)

두 함수 f, g가 미분가능할 때, 함수 $y=f(x)g(x)$의 도함수는
$$y'=f'(x)g(x)+f(x)g'(x)$$

5. 곱의 미분법 (2)

세 함수 f, g, h가 미분가능할 때, 함수 $y=f(x)g(x)h(x)$의 도함수는
$$y'=f'(x)g(x)h(x)+f(x)g'(x)h(x)+f(x)g(x)h'(x)$$

6. $\{f(x)\}^n$의 미분법

함수 $y=f(x)$가 미분가능할 때, 함수 $y=\{f(x)\}^n$ (n은 자연수)의 도함수는
$$y'=n\{f(x)\}^{n-1}f'(x)$$

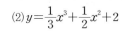

4 - 1

다음 함수의 도함수를 구하시오.

(1) $y = 2x^3 - 3x^2 + x + 4$ 　　　　 $\boxed{\text{O} \ \triangle \ \text{X}}$

(2) $y = \dfrac{1}{3}x^3 + \dfrac{1}{2}x^2 + 2$ 　　　　 $\boxed{\text{O} \ \triangle \ \text{X}}$

아름다운샘

(3) $y=(x^3+1)(2x-1)$ O △ X

(4) $y=(x+2)(2x-1)(3x+2)$ O △ X

함수 $f(x)=x^3+2x+3$에 대하여 $f'(2)$의 값은? (○ △ X)

① 13   ② 14   ③ 15   ④ 16   ⑤ 17

함수 $f(x)=ax^2+2$에 대하여 $f'(1)=-4$를 만족시키는 상수 a의 값을 구하시오. (○ △ X)

4–4

함수 $f(x)=2x^2-3x+5$에 대하여 $\displaystyle\lim_{h\to 0}\frac{f(3+3h)-f(3)}{h}$의 값을 구하시오. (○ △ X)

4–5

함수 $f(x)=(x^2-1)(3x+2)$에 대하여 $\displaystyle\lim_{h\to 0}\frac{f(1+h)-f(1-h)}{h}$의 값을 구하시오.

(○ △ X)

4-6

함수 $f(x)=x^2+2x$에 대하여 $\lim\limits_{x \to 1} \dfrac{f(x)-3}{x-1}$의 값을 구하시오.　$\boxed{\text{O}\ \triangle\ \text{X}}$

4-7

다항함수 $y=f(x)$가 $f(2)=1, f'(2)=-1$을 만족시키고, 함수 $g(x)=x^2+xf(x)$라 할 때, $g'(2)$의 값을 구하시오.　$\boxed{\text{O}\ \triangle\ \text{X}}$

아름다운샘

함수 $f(x)=x^3+ax+5$에 대하여 $\lim\limits_{x \to 1} \dfrac{f(x^3)-f(1)}{x-1}=15$일 때, 상수 a의 값을 구하시오.

○ △ X

함수 $f(x)=\begin{cases} x^2+ax+b & (x<0) \\ 3x^3+2x+5 & (x\geq0) \end{cases}$ 가 $x=0$에서 미분가능할 때, a^2+b^2의 값을 구하시오.

(단, a, b는 상수이다.)

○ △ X

4-10

다항식 $x^5 - ax + b$가 $(x-1)^2$으로 나누어떨어질 때, 두 상수 a, b에 대하여 $a+b$의 값을 구하시오. (○ △ X)

4-11

함수 $f(x) = x^2 + 5x - 3$에 대하여 $\sum\limits_{n=1}^{10} \lim\limits_{h \to 0} \dfrac{f(n+h) - f(n)}{h}$의 값을 구하시오. (○ △ X)

아름다운샘

함수 $f(x)=x^4+ax^3-bx+a$에 대하여 $\displaystyle\lim_{x \to 1}\frac{f(x)-2}{x^2-1}=\frac{3}{2}$이 성립할 때, ab의 값은?

(단, a, b는 상수이다.)

〔 ○ △ X 〕

① 8 　　② 10 　　③ 12 　　④ 14 　　⑤ 16

$y=f(x)$는 x에 대한 이차함수이고 $f(1)=\dfrac{3}{2}$이다. 함수 $y=f(x)$가 임의의 실수 x에 대하여 $2f(x)-xf'(x)-1=0$을 만족시킬 때, $f(x)$를 구하시오.

〔 ○ △ X 〕

4-14

자연수 n에 대하여 $a_n = \lim_{x \to 1} \dfrac{x^n + 5x - 6}{x - 1}$ 이라 할 때, $\sum_{n=1}^{15} a_n$의 값을 구하시오.

◯ △ ✕

4-15

다항식 $x^{10} + x - 2$를 $(x+1)^2$으로 나누었을 때의 나머지를 $ax+b$라 할 때, $a+b$의 값을 구하시오. (단, a, b는 상수이다.)

◯ △ ✕

함수 $y=f(x)$가 임의의 실수 $x,\,y$에 대하여 $f(x+y)=f(x)+f(y)+3xy+2$를 만족시키고 $f'(0)=-2$일 때, $f'(1)$의 값을 구하시오. (○ △ X)

함수 $f(x)=|x-2|(x+a)$가 $x=2$에서 미분가능하도록 하는 상수 a의 값은? (○ △ X)

① -2 ② -1 ③ 0 ④ 1 ⑤ 2

4-**18**

그림에서 $-1 \le x \le 1$의 범위를 이차함수 $f(x) = ax^2 + bx + c$ 로 연결하여 모든 실수 범위에서 미분가능한 함수의 그래프가 되도록 할 때, 세 상수 a, b, c에 대하여 abc의 값을 구하시오.

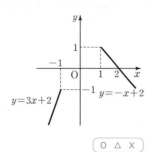

○ △ ✕

4-**19**

함수 $y = f(x)$의 그래프는 y축에 대하여 대칭이고, $f'(2) = -3$, $f'(4) = 6$일 때, $\displaystyle\lim_{x \to -2} \frac{f(x^2) - f(4)}{f(x) - f(-2)}$의 값을 구하시오.

○ △ ✕

아름다운 샘

4-20

실수 전체의 집합에서 미분가능한 함수 $y=f(x)$가 다음 두 조건을 만족시킨다.

> (개) $f(x)=x^3+ax^2+bx+4 \ \ (0 \le x < 1)$
> (내) 모든 실수 x에 대하여 $f(x)=f(x+1)$

$a-b$의 값을 구하시오. (단, a, b는 상수이다.) ◯ △ ✕

4-21

$\displaystyle\lim_{x \to 2} \dfrac{x^n - x^4 - x^3 - x - 6}{x-2}$의 극한값이 존재할 때, 극한값을 구하시오. (단, n은 자연수이다.) ◯ △ ✕

4-22

함수 $f(x)=2x^3+ax^2+bx+c$에 대하여 그림과 같이 곡선 $y=f(x)$와 직선 $y=k$가 서로 다른 세 점 A, B, C에서 만난다. $\overline{\text{AB}}=5$, $\overline{\text{BC}}=2$일 때, 곡선 $y=f(x)$ 위의 점 C에서의 접선의 기울기를 구하시오. (단, a, b, c는 상수이다.)

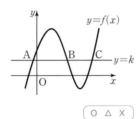

〇 △ ✕

4-23

다항함수 $y=f(x)$에 대하여 $f(1)=1$, $f'(1)=-2$이다. $g(x)=\sum\limits_{n=1}^{50} x^{50}\{f(x)\}^n$일 때, $g'(1)$의 값을 구하시오.

〇 △ ✕

삼차함수 $f(x)=x^3+3x^2-9x$에 대하여 함수 $y=g(x)$를

$$g(x)=\begin{cases} f(x) & (x<a) \\ m-f(x) & (a\le x<b) \\ n+f(x) & (x\ge b) \end{cases}$$

로 정의한다. 함수 $y=g(x)$가 모든 실수 x에 대하여 미분가능하도록 a, b, m, n의 값을 정할 때, $m+n$의 값을 구하시오. (단, m, n은 상수이다.) ○ △ ✕

05
접선의 방정식과 평균값 정리

1. **접선의 방정식**
   ① 접선의 기울기
   ② 접점이 주어진 접선의 방정식
   ③ 기울기가 주어진 접선의 방정식
   ④ 곡선 밖의 한 점에서 그은 접선의 방정식
   ⑤ 두 곡선의 공통접선

2. **평균값 정리**
   ① 롤의 정리
   ② 평균값 정리

 핵심 Point

1. 접선의 방정식 (접점이 주어질 때)

곡선 $y=f(x)$ 위의 점 $\mathrm{P}(a, f(a))$에서의 접선의 방정식은

$$y-f(a)=f'(a)(x-a)$$

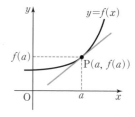

2. 접선의 방정식 (기울기가 주어질 때)

곡선 $y=f(x)$의 접선의 기울기 m이 주어졌을 때
① 접점의 좌표를 $(a, f(a))$로 놓는다.
② $f'(a)=m$임을 이용하여 접점의 좌표를 구한다.
③ $y-f(a)=m(x-a)$를 이용하여 접선의 방정식을 구한다.

3. 접선의 방정식 (곡선 밖의 한 점이 주어질 때)

곡선 $y=f(x)$ 밖의 한 점 (x_1, y_1)이 주어졌을 때
① 접점의 좌표를 $(a, f(a))$로 놓는다.
② $y-f(a)=f'(a)(x-a)$에 점 (x_1, y_1)의 좌표를 대입하여 a의 값을 구한다.
③ a의 값을 $y-f(a)=f'(a)(x-a)$에 대입하여 접선의 방정식을 구한다.

4. 롤의 정리

함수 $y=f(x)$가 닫힌구간 $[a, b]$에서 연속이고 열린구간 (a, b)에서 미분가능할 때, $f(a)=f(b)$이면 $f'(c)=0$인 c가 a와 b 사이에 적어도 하나 존재한다.

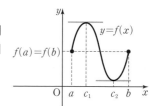

5. 평균값 정리

함수 $y=f(x)$가 닫힌구간 $[a, b]$에서 연속이고 열린구간 (a, b)에서 미분가능할 때,

$$\frac{f(b)-f(a)}{b-a}=f'(c)$$

가 되는 c가 a와 b 사이에 적어도 하나 존재한다.

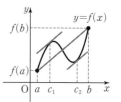

5-1

곡선 $y=(x^2-1)(2x+1)$ 위의 점 $(1, 0)$에서 곡선에 접하는 직선의 기울기를 구하시오.

$\boxed{\text{O} \ \triangle \ \text{X}}$

5-2

다음 곡선 위의 주어진 점에서의 접선의 방정식을 구하시오.

(1) $y=x^2-5x+4$ $\quad$ $(2, -2)$

$\boxed{\text{O} \ \triangle \ \text{X}}$

(2) $y=x^3-2x+1$ $(-1, 2)$ ○ △ X

5-**3**

곡선 $y=x^3-x+1$ 위의 점 $(1, 1)$을 지나고 이 점에서의 접선에 수직인 직선의 방정식이
$y=ax+b$일 때, 두 상수 a, b에 대하여 $a-b$의 값을 구하시오.   ○ △ X

곡선 $f(x)=x^2-ax$ 위의 $x=2$인 점에서의 접선이 직선 $y=2x$와 평행할 때, 상수 a의 값을 구하시오.

직선 $y=3x-2$를 평행이동시키면 곡선 $y=2x^2-9x+5$와 접한다고 한다. 접점의 좌표가 (a, b)일 때, $a+b$의 값은?

① -2 ② -1 ③ 0 ④ 1 ⑤ 2

곡선 $y=2x^3+ax+b$ 위의 점 $(1, 1)$에서의 접선의 방정식이 $y=9x-8$일 때, 두 상수 a, b에 대하여 $a-b$의 값을 구하시오. ⃝ △ Ⅹ

미분가능한 함수 $y=f(x)$에 대하여 $\lim\limits_{x \to 1} \dfrac{f(x)-2}{x-1}=3$이 성립할 때, 곡선 $y=f(x)$ 위의 점 $(1, f(1))$에서의 접선의 방정식은? ⃝ △ Ⅹ

① $3x+y-2=0$ ② $3x-y-1=0$ ③ $2x+y+1=0$

④ $x+2y-1=0$ ⑤ $x-y+1=0$

점 $P(1, 1)$에서 포물선 $y=x^2+4$에 그은 접선의 방정식이 $y=ax+3$과 $y=bx-5$일 때, 두 상수 a, b에 대하여 $a-b$의 값을 구하시오. $\boxed{\text{O} \ \triangle \ \text{X}}$

함수 $f(x)=x^3-9x$에 대하여 닫힌구간 $[0, 3]$에서 롤의 정리를 만족시키는 상수 c의 값을 구하시오. $\boxed{\text{O} \ \triangle \ \text{X}}$

5 - 10

함수 $y=f(x)$의 그래프가 그림과 같을 때,

$\dfrac{f(b)-f(a)}{b-a}=f'(c)$를 만족시키는 상수 c의 개수는?

(단, $a<c<b$)

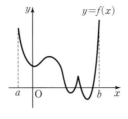

① 0   ② 1   ③ 2

④ 3   ⑤ 4

○ △ ✕

5 - 11

곡선 $y=x^3+2x^2+ax-2$ 위의 접선 중 그 기울기의 최솟값이 $-\dfrac{1}{3}$일 때, 상수 a의 값을 구하시오.

○ △ ✕

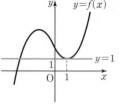

곡선 $y=\dfrac{1}{3}x^3-x+\dfrac{1}{3}$ $(x\geq0)$ 위의 점에서 직선 $y=3x-6$까지의 거리의 최솟값은? (○ △ X)

① $\dfrac{1}{5}$ ② $\dfrac{\sqrt{10}}{10}$ ③ $\dfrac{\sqrt{3}}{3}$ ④ $\dfrac{3\sqrt{2}}{4}$ ⑤ $\sqrt{5}$

미분가능한 함수 $y=f(x)$의 그래프가 그림과 같이 $x=1$에서 직선 $y=1$에 접할 때, 곡선 $y=(x-1)f(x)$ 위의 점 $(1,\ 0)$에서의 접선의 방정식은?

① $y=x+1$ ② $y=x-1$
③ $y=-x+1$ ④ $y=-x-1$
⑤ $y=-x$

(○ △ X)

5 - **14**

그림과 같이 삼차항의 계수가 1인 삼차함수 $y=f(x)$의 그래프와 직선 $y=x+2$가 세 점 A, B, C에서 만날 때, 점 C에서의 접선의 기울기를 구하시오.

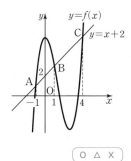

○ △ X

5 - **15**

점 $(0, -4)$에서 곡선 $y=x^3-2$에 그은 접선이 x축과 만나는 점의 좌표를 $(a, 0)$이라 할 때, a의 값은?

○ △ X

① $\dfrac{7}{6}$　　② $\dfrac{4}{3}$　　③ $\dfrac{3}{2}$　　④ $\dfrac{5}{3}$　　⑤ $\dfrac{11}{6}$

그림에서 점 P가 곡선 $y=-\dfrac{1}{2}x^2+6x\ (0\le x\le12)$ 위를 움직이는 점일 때, 원점 O와 점 B(12, 12)를 연결한 삼각형 OBP의 넓이가 최대가 되는 점 P의 좌표를 구하시오.

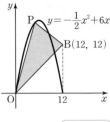

○ △ X

두 곡선 $f(x)=x^3+ax$, $g(x)=x^2+bx+c$가 모두 점 (1, 2)를 지나고, 이 점에서 공통접선을 가진다고 한다. 세 상수 a, b, c에 대하여 $a-b+c$의 값은?

○ △ X

① -3 ② -2 ③ -1 ④ 0 ⑤ 1

5-**18**

두 다항함수 $y=f(x)$, $y=g(x)$가 다음 조건을 만족시킨다.

> (가) $g(x)=x^3 f(x)-7$
>
> (나) $\displaystyle\lim_{x\to 2}\frac{f(x)-g(x)}{x-2}=2$

곡선 $y=g(x)$ 위의 점 $(2, g(2))$에서의 접선의 방정식이 $y=ax+b$일 때, a^2+b^2의 값을 구하시오. (단, a, b는 상수이다.) ◯ △ ✕

5-**19**

함수 $f(x)=x^2+kx+26$은 닫힌구간 $[3, 7]$에서 롤의 정리를 만족시키는 상수 5가 존재하고, 닫힌구간 $[3, 8]$에서 평균값 정리를 만족시키는 상수 c가 존재할 때, $k+c$의 값을 구하시오. (단, k는 상수이다.) ◯ △ ✕

5-20

실수 전체의 집합에서 미분가능한 함수 $y=f(x)$가 $\lim\limits_{x\to\infty} f'(x)=4$를 만족시킬 때,

$\lim\limits_{x\to\infty}\{f(x+1)-f(x-1)\}$의 값을 평균값 정리를 이용하여 구하시오.   ○ △ X

5-21

삼차함수 $f(x)=x^3-3x^2+2x-2$의 그래프 위의 서로 다른 두 점 P, Q에서의 접선이 서로 평행하면 선분 PQ의 중점은 항상 일정한 점 $(a,\ b)$이다. 두 상수 a, b에 대하여 $a+b$의 값을 구하시오.   ○ △ X

5-22

그림은 삼차함수 $f(x)=x^3-3x^2+3x$의 그래프이다. 원점을 지나고 곡선 $y=f(x)$에 접하는 직선은 두 개이다. 두 접선과 곡선 $y=f(x)$의 교점 중 원점이 아닌 점들의 x좌표의 합을 S라 할 때, $10S$의 값을 구하시오.

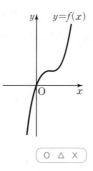

(○ △ X)

5-23

$a>0$일 때, 함수 $f(x)=1-ax^2$의 그래프 위의 한 점 $A\left(\dfrac{1}{2}, 1-\dfrac{1}{4}a\right)$에서 그은 접선이 x축, y축과 만나는 점을 각각 P, Q라 하자. 삼각형 OPQ의 넓이를 S라 할 때, $\displaystyle\lim_{a\to0} aS$의 값을 구하시오. (단, O는 원점이다.)

(○ △ X)

아름다운샘

5-24

양수 a에 대하여 점 $(a, 0)$에서 곡선 $y=3x^3$에 그은 접선과 점 $(0, a)$에서 곡선 $y=3x^3$에 그은 접선이 서로 평행할 때, $90a$의 값을 구하시오. ⟮ ○ △ ✕ ⟯

5-25

곡선 $y=x^3$ 위의 한 점 P에서의 접선이 곡선 $y=x^3+4$ 위의 점 Q에서도 접한다. 이 접선을 $y=ax+b$라 할 때, 두 상수 a, b에 대하여 a^2+b^2의 값을 구하시오. ⟮ ○ △ ✕ ⟯

06 증가·감소와 극대·극소

1. 함수의 증가와 감소
① 증가와 감소
② 함수의 증가와 감소
③ 증가, 감소에 따른 도함수의 부호

2. 함수의 극대와 극소
① 함수의 극대와 극소
② 극대·극소와 미분계수
③ 극대와 극소의 판정

3. 함수의 그래프와 최대·최소
① 함수의 그래프
② 함수의 최댓값과 최솟값

---

1. 증가와 감소

함수 $y=f(x)$가 어떤 구간의 임의의 두 수 x_1, x_2에 대하여

(1) $x_1<x_2$일 때, $f(x_1)<f(x_2)$이면 $y=f(x)$는 이 구간에서 증가한다고 한다.

(2) $x_1<x_2$일 때, $f(x_1)>f(x_2)$이면 $y=f(x)$는 이 구간에서 감소한다고 한다.

2. 함수의 증가와 감소

함수 $y=f(x)$가 어떤 구간에서 미분가능할 때, 그 구간의 모든 x에 대하여

(1) $f'(x)>0$이면 $y=f(x)$는 그 구간에서 증가한다.

(2) $f'(x)<0$이면 $y=f(x)$는 그 구간에서 감소한다.

3. 함수의 극대·극소

함수 $y=f(x)$가 $x=a$를 포함하는 어떤 열린구간에 속하는 모든 x에 대하여

(1) $f(x)\leq f(a)$ ➡ $x=a$에서 극대, $f(a)$는 극댓값

(2) $f(x)\geq f(a)$ ➡ $x=a$에서 극소, $f(a)$는 극솟값

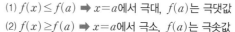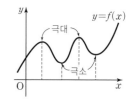

4. 극대·극소의 판정

함수 $y=f(x)$에 대하여 $f'(a)=0$이 되는 $x=a$의 좌우에서 $f'(x)$의 부호가

(1) 양 ➡ 음 으로 바뀌면 $y=f(x)$는 $x=a$에서 극대이다.

(2) 음 ➡ 양 으로 바뀌면 $y=f(x)$는 $x=a$에서 극소이다.

5. 함수의 최댓값과 최솟값

닫힌구간 $[a, b]$에서 연속인 함수 $y=f(x)$의 최댓값, 최솟값은 다음과 같은 순서로 구한다.

① 주어진 구간에서의 $y=f(x)$의 극댓값과 극솟값을 모두 구한다.

② 주어진 구간의 양 끝의 함숫값 $f(a)$, $f(b)$를 구한다.

③ 위에서 구한 극댓값, 극솟값, $f(a)$, $f(b)$의 크기를 비교하여,
　가장 큰 값이 최댓값이고, 가장 작은 값이 최솟값이다.

6-1

함수 $f(x)=x^3-3x-7$이 감소하는 구간은?   (O △ X)

① $[-1, 1]$ ② $[-1, 3]$ ③ $[-2, 2]$
④ $[0, 2]$ ⑤ $[1, 3]$

6-2

다음 함수의 극값을 구하시오.

(1) $f(x)=-x^3+3x^2+1$ (O △ X)

(2) $f(x) = x^4 - 4x^3 - 2x^2 + 12x - 2$

〇 △ X

6-3

그림은 삼차함수 $f(x) = 2x^3 - 3x^2 - 12x - 5$의 그래프이다.
이때, $a+b+c+d$의 값을 구하시오.

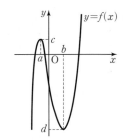

〇 △ X

아름다운샘

함수 $f(x)=x^3-3x^2-1$의 극대인 점과 극소인 점 사이의 거리는?   ◯ △ X

① $\sqrt{3}$ ② $\sqrt{5}$ ③ $2\sqrt{2}$ ④ $2\sqrt{3}$ ⑤ $2\sqrt{5}$

함수 $f(x)=-x^3+kx^2+kx+1$이 임의의 두 실수 x_1, x_2에 대하여 $x_1<x_2$이면 $f(x_1)>f(x_2)$를 만족시킨다. 이때, 상수 k의 최댓값을 구하시오.   ◯ △ X

함수 $f(x) = \dfrac{1}{3}x^3 + ax^2 + bx + 2$가 $x=-3$에서 극댓값, $x=2$에서 극솟값을 가질 때, 두 상수 a, b에 대하여 ab의 값을 구하시오. (○ △ X)

삼차함수 $y = x^3 - 3ax^2 + 4a$의 그래프가 x축에 접할 때, 상수 a의 값은? (단, $a>0$) (○ △ X)

① $\dfrac{1}{4}$ ② $\dfrac{1}{3}$ ③ $\dfrac{1}{2}$ ④ 1 ⑤ $\dfrac{4}{3}$

함수 $f(x)=x^3+ax^2+(6-a)x-3$이 극값을 갖지 않도록 하는 정수 a의 개수를 구하시오.

(ㅇ △ X)

사차함수 $y=f(x)$의 도함수 $y=f'(x)$의 그래프가 그림과 같다. $y=f(x)$가 극댓값을 갖는 x의 값을 α, 극솟값을 갖는 양수 x의 값을 β라 할 때, $\alpha+\beta$의 값을 구하시오.

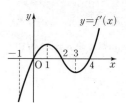

(ㅇ △ X)

6 – 10

구간 $[-2, 2]$에서 함수 $f(x) = -x^3 + 3x^2 + 9x$의 최댓값을 M, 최솟값을 m이라 할 때, $M + m$의 값을 구하시오.

(O △ X)

6 – 11

함수 $y = f(x)$의 도함수 $y = f'(x)$의 그래프가 그림과 같을 때, 다음 중 옳은 것은?

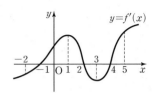

① 함수 $y = f(x)$는 구간 $(-2, 1)$에서 증가한다.

② 함수 $y = f(x)$는 구간 $(1, 3)$에서 감소한다.

③ 함수 $y = f(x)$는 구간 $(4, 5)$에서 증가한다.

④ 함수 $y = f(x)$는 $x = 2$에서 극소이다.

⑤ 함수 $y = f(x)$는 $x = 3$에서 극소이다.

(O △ X)

함수 $f(x)=x^3+ax^2+bx-1$이 $x=1$에서 극댓값 3을 가질 때, 두 상수 a, b에 대하여 $b-a$의 값을 구하시오.　 ○ △ ✕

함수 $f(x)=x^3+ax^2+bx+1$이 감소하는 구간은 $-1\leq x\leq1$이다. $y=f(x)$의 극댓값을 M, 극솟값을 m이라 할 때, $M+m$을 구하시오. (단, a, b는 상수이다.)　 ○ △ ✕

최고차항의 계수가 1인 삼차함수 $y=f(x)$가
$$f(1)=f'(1)=0,\ f(0)=2$$
를 만족시킬 때, 함수 $y=f(x)$의 극댓값과 극솟값을 구하시오. (○ △ X)

함수 $f(x)=2x^4+4x^3+6ax^2$은 상수 a의 값의 범위가 $a<\alpha$ 또는 $\beta<a<\gamma$일 때 극댓값을 가진다. $\alpha+\beta+\gamma$의 값을 구하시오. (○ △ X)

삼차함수 $y=f(x)$가 다음 조건을 만족시킬 때, $y=f(x)$의 극댓값을 구하시오. ⓞ △ ✕

(가) $\lim_{x \to 0} \dfrac{f(x)}{x} = -12$

(나) $x=1$에서 극솟값 -7을 갖는다.

함수 $f(x)=x^3+(a-3)x^2+(2-a)x-3$이 $0<x<1$에서 극댓값, $1<x<2$에서 극솟값을 갖는다고 할 때, 상수 a의 값의 범위를 구하시오. ⓞ △ ✕

6-18

구간 $[0, 2]$에서 함수 $f(x)=2ax^3-3ax^2+b$의 최댓값이 14이고, 최솟값이 -1일 때, 두 상수 a, b에 대하여 $a+b$의 값은? (단, $a>0$)　　[O △ X]

① 4　　　　② 5　　　　③ 6　　　　④ 7　　　　⑤ 8

6-19

두 함수 $f(x)=x^4-2x^3-8x$, $g(x)=-2x^2-12x+a$가 임의의 두 실수 x_1, x_2에 대하여 $f(x_1) \geq g(x_2)$가 되도록 실수 a의 값을 정할 때, a의 값의 범위는?　　[O △ X]

① $-36 \leq a \leq 0$　　　② $a \leq -34$　　　③ $a \leq -32$

④ $a \leq -30$　　　⑤ $-32 \leq a \leq 2$

아름다운샘

6-20

그림과 같이 한 변의 길이가 $10\sqrt{2}$인 정사각형에서 색칠한 부분을 오려낸 다음 뚜껑이 없는 밑면이 정사각형인 직육면체 모양의 상자를 만들려고 한다. 이때, 이 상자의 부피가 최대가 되도록 하는 밑면의 한 변의 길이와 최대 부피를 구하시오.

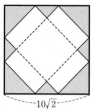

$10\sqrt{2}$

(O △ X)

STEP C 연습문제

6-21

삼차함수 $f(x)=x^3+ax^2+bx+c$가 다음 조건을 만족시킨다.

(가) $f(-x)=-f(x)$
(나) $x=\alpha$에서 극대이고 $x=\beta$에서 극소이다.
(다) $f(\alpha)+\alpha=f(\beta)+\beta$

$f(1)+f'(2)$의 값을 구하시오.

(O △ X)

6–22

양수 a에 대하여 삼차함수 $f(x)=\dfrac{1}{3}ax^3+bx^2+cx+3$이 다음 조건을 만족시킨다.

> ㈎ 세 수 a, b, c가 이 순서로 공차가 3인 등차수열을 이룬다.
> ㈏ 함수 $y=f(x)$는 극솟값 $-\sqrt{3}$을 갖는다.

$a+b-c$의 값을 구하시오. ⃝ △ ✕

6–23

자연수 n에 대하여 최고차항의 계수가 1이고 다음 조건을 만족시키는 삼차함수 $y=f(x)$의 극댓값을 a_n이라고 하자.

> ㈎ $f(n)=0$
> ㈏ 모든 실수 x에 대하여 $(x+n)f(x)\geq 0$이다.

a_n이 자연수가 되도록 하는 n의 최솟값을 구하시오. ⃝ △ ✕

아름다운샘

083

사차함수 $y=f(x)$가 다음 조건을 만족시킬 때, $\dfrac{f'(5)}{f'(3)}$의 값을 구하시오. ○ △ X

> (가) 함수 $y=f(x)$는 $x=2$에서 극값을 갖는다.
> (나) 함수 $y=|f(x)-f(1)|$은 오직 $x=a$ $(a>2)$에서만 미분가능하지 않다.

07
도함수의 활용

1. 방정식과 부등식에의 활용
① 방정식에의 활용
② 삼차방정식의 근의 판별
③ 부등식에의 활용

2. 속도와 가속도
① 속도
② 가속도

핵심 Point

1. 방정식의 실근의 개수
(1) 방정식 $f(x)=0$의 실근의 개수
   $\Longleftrightarrow$ 함수 $y=f(x)$의 그래프와 x축의 교점의 개수
(2) 방정식 $f(x)=g(x)$의 실근의 개수
   $\Longleftrightarrow$ 두 함수 $y=f(x)$, $y=g(x)$의 그래프의 교점의 개수

2. 삼차방정식의 근의 판별
삼차함수 $f(x)=ax^3+bx^2+cx+d$가 극값을 가질 때, 삼차방정식
$ax^3+bx^2+cx+d=0$의 근은
(1) (극댓값)×(극솟값)<0 $\Longleftrightarrow$ 서로 다른 세 실근
(2) (극댓값)×(극솟값)=0 $\Longleftrightarrow$ 한 실근과 중근 (두 개의 실근)
(3) (극댓값)×(극솟값)>0 $\Longleftrightarrow$ 한 실근과 두 허근

3. 부등식의 증명
(1) 부등식 $f(x)>0$의 증명 ➡ ($f(x)$의 최솟값)>0임을 보인다.
(2) 부등식 $f(x)>g(x)$의 증명 ➡ ($f(x)-g(x)$의 최솟값)>0임을 보인다.
(3) $x>a$인 범위에서 부등식 $f(x)>0$의 증명
   [방법1] $x>a$인 범위에서 ($f(x)$의 최솟값)>0임을 보인다.
   [방법2] $x>a$인 범위에서 $y=f(x)$가 증가하고 $f(a) \geq 0$임을 보인다.

4. 직선 운동에서의 속도
수직선 위를 움직이는 점 P의 시각 t에서의 위치 x가 t에 관한 함수 $x=f(t)$로
나타내어질 때, 시각 t에서의 속도 v는
$$v=f'(t)=\frac{dx}{dt}=\lim_{\Delta t \to 0}\frac{f(t+\Delta t)-f(t)}{\Delta t}$$

5. 직선 운동에서의 가속도
수직선 위를 움직이는 점 P의 시각 t에서의 속도 v가 t에 관한 함수 $v=v(t)$로
나타내어질 때, 시각 t에서의 가속도 a는
$$a=v'(t)=\frac{dv}{dt}$$

아름다운샘

7-1

그림은 두 함수 $y=f(x)$, $y=g(x)$의 그래프이다.

    $f(x)=0$의 실근의 개수를 a,

    $g(x)=0$의 실근의 개수를 b,

    $f(x)=g(x)$의 실근의 개수를 c

라 할 때, $a+b+c$의 값을 구하시오.

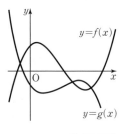

◯ △ X

7-2

다음 방정식의 서로 다른 실근의 개수를 구하시오.

(1) $x^3+3x^2+2=0$

◯ △ X

(2) $x^4-4x^3+3=0$

◯ △ X

7-3

삼차방정식 $x^3-6x^2-n=0$이 서로 다른 세 실근을 갖도록 하는 정수 n의 개수를 구하시오.

(O △ X)

7-4

직선 $y=2x+k$와 곡선 $y=x^3-x$가 서로 다른 세 점에서 만날 때, 정수 k의 개수는?

(O △ X)

① 1 ② 2 ③ 3 ④ 4 ⑤ 5

삼차방정식 $x^3+3x^2-k=0$이 한 개의 양수인 실근과 서로 다른 두 개의 음수인 실근을 갖도록 하는 실수 k의 값의 범위는? (○ △ X)

① $k<0$ 또는 $k>4$ 　　② $0<k<4$ 　　③ $0\leq k<4$
④ $0<k\leq4$ 　　⑤ $k\leq0$ 또는 $k\geq4$

모든 실수 x에 대하여 $x^4+a\geq2x^2$이 항상 성립하도록 실수 a의 값을 정할 때, a의 최솟값은? (○ △ X)

① -1 　　② 0 　　③ 1 　　④ 2 　　⑤ 3

수직선 위를 움직이는 점 P의 시각 t에서의 위치 x가 $x=t^3-at$로 주어지고 $t=3$에서의 속도가 21일 때, 상수 a의 값을 구하시오. (○ △ X)

어떤 자동차가 달리다가 브레이크를 밟은 후 정지할 때까지 t초 동안 움직인 거리를 x m라 하면 $x=16t-4t^2$인 관계가 성립한다. 이 자동차가 브레이크를 밟은 후 정지할 때까지 움직인 거리를 구하시오. (○ △ X)

수면으로부터 10m 높이의 다이빙대에서 뛰어오른 다이빙 선수의 t초 후의 수면으로부터의 높이를 x m라 하면 $x=-5t^2+5t+10$의 관계가 있다. 이때, 이 선수가 물에 떨어지는 순간의 속도를 구하시오. ○ △ X

그림은 x축 위를 움직이는 점 P의 시각 t에서의 위치 x를 나타낸 그래프이다. 점 P의 진행 방향이 첫 번째로 바뀐 시각은?

① a ② b ③ c
④ d ⑤ e

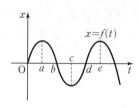

○ △ X

7–**11**

그림은 6차함수 $y=f(x)$의 도함수 $y=f'(x)$의 그래프이다.
$f(a)=3$, $f(c)=-1$, $f(e)=2$, $f(g)=-3$, $f(i)=4$일 때,
방정식 $f(x)-\dfrac{5}{2}=0$의 실근의 개수는?

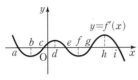

① 2   ② 3   ③ 4   ④ 5   ⑤ 6   (○ △ X)

7–**12**

삼차방정식 $2x^3-6ax+4=0$이 오직 하나의 실근을 가질 때, 상수 a의 값의 범위를 구하시오.
(단, $a>0$)

(○ △ X)

점 $(1, 0)$에서 곡선 $y=x^3+2ax-2$에 오직 한 개의 접선을 그을 수 있도록 하는 자연수 a의 최솟값을 구하시오. ○ △ X

x에 대한 사차방정식 $x^4+4x^3-2x^2-12x+3-k=0$이 한 개의 양의 근과 서로 다른 세 개의 음의 근을 갖도록 하는 정수 k의 최댓값과 최솟값의 합을 구하시오. ○ △ X

7-15

두 함수 $f(x)=4x^3-x^2-2x$, $g(x)=2x^2+4x-a$에 대하여 구간 $[-1, 2]$에서 $f(x) \geq g(x)$가 성립하도록 하는 실수 a의 값의 범위를 구하시오. ○ △ X

7-16

$x \geq 0$일 때, 부등식 $4x^3 \geq ax^2-2$가 항상 성립하도록 하는 자연수 a의 개수를 구하시오. ○ △ X

수직선 위를 움직이는 점 P의 시각 t에서의 위치가 $f(t)=t^3-3t^2-5t+2$일 때, $0 \le t \le 3$에서 점 P의 속력의 최댓값은? 〔 ○ △ X 〕

① 5   ② 6   ③ 7   ④ 8   ⑤ 9

수직선 위를 움직이는 점 P의 시각 t에서의 위치 $S(t)$가 $S(t)=t^3+at^2+bt+4$이고, $t=3$일 때 점 P는 운동 방향을 바꾸며, 그때의 위치는 -5이다. 점 P가 $t=3$ 이외에 운동 방향을 바꾸는 시각을 구하시오. 〔 ○ △ X 〕

원점을 출발하여 수직선 위를 움직이는 물체의 속도 v와 시각 t 사이의 관계를 나타내는 함수의 그래프가 그림과 같을 때, **보기**에서 옳은 것만을 있는 대로 고른 것은?

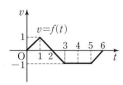

O △ X

───── 보기 ─────

ㄱ. $t=2$일 때, 움직이는 방향이 반대로 바뀐다.

ㄴ. $1<t<3$에서 물체의 가속도는 일정하다.

ㄷ. $t=4$에서 물체는 정지해 있다.

① ㄱ   ② ㄴ   ③ ㄱ, ㄴ   ④ ㄴ, ㄷ   ⑤ ㄱ, ㄴ, ㄷ

윗면의 반지름의 길이가 4 cm, 깊이가 12 cm인 직원뿔 모양의 그릇에 매초 0.5 cm의 속도로 수면이 상승하도록 물을 넣을 때, 수면의 높이가 6 cm가 되는 순간의 수면의 넓이의 증가 속도는?

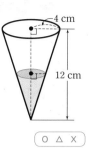

① $\dfrac{1}{\pi}$ cm²/s   ② $\dfrac{3}{2\pi}$ cm²/s   ③ $\dfrac{\pi}{3}$ cm²/s

④ $\dfrac{2}{3}\pi$ cm²/s   ⑤ $\dfrac{2}{3\pi}$ cm²/s

O △ X

7 - 21

$x>0$인 범위에서 $x^{n+1}-n(n-3)>(n+1)x$가 항상 성립하도록 하는 양의 정수 n의 값을 구하시오. ⓞ △ Ⅹ

7 - 22

최고차항의 계수가 1인 삼차함수 $y=f(x)$가 모든 실수 x에 대하여 $f(-x)=-f(x)$를 만족시킨다. 방정식 $|f(x)|=2$의 서로 다른 실근의 개수가 4일 때, $f(3)$의 값은? ⓞ △ Ⅹ

① 12   ② 14   ③ 16   ④ 18   ⑤ 20

다음 조건을 만족시키는 모든 삼차함수 $y=f(x)$에 대하여 $f(2)$의 최솟값을 구하시오.

○ △ X

(가) 함수 $y=f(x)$의 최고차항의 계수는 1이다.
(나) $f(0)=f'(0)$
(다) $x\geq -1$인 모든 실수 x에 대하여 $f(x)\geq f'(x)$이다.

수직선 위를 움직이는 두 점 P, Q의 시각 t에서의 좌표를 각각 x_1, x_2라 하면
$x_1=t^4-8t^3+18t^2+t+1$, $x_2=mt$이다. 두 점 P와 Q의 속도가 같게 되는 때가 3회 있기 위한
자연수 m의 최댓값을 구하시오.

○ △ X

08 부정적분

1. 부정적분
   ① 부정적분의 뜻
   ② 적분과 미분의 관계

2. 다항함수의 부정적분
   ① 함수 $y=x^n$의 부정적분
   ② 함수의 실수배, 합, 차의 부정적분

1. 부정적분

(1) 함수 $y=f(x)$에 대하여 $F'(x)=f(x)$가 되는 $y=F(x)+C$ (C는 상수)를 $y=f(x)$의 부정적분이라 하고, 기호로

$$\int f(x)dx$$

와 같이 나타낸다.

(2) 함수 $y=f(x)$의 부정적분 중 하나를 $y=F(x)$라 하면

$$\int f(x)dx=F(x)+C \quad (단, C는 적분상수)$$

2. 적분과 미분의 관계

(1) $\dfrac{d}{dx}\displaystyle\int f(x)dx=f(x)$

(2) $\displaystyle\int\left\{\dfrac{d}{dx}f(x)\right\}dx=f(x)+C$ (단, C는 적분상수)

3. 함수 $y=x^n$의 부정적분

n이 음이 아닌 정수일 때,

$$\int x^n dx=\dfrac{1}{n+1}x^{n+1}+C \quad (단, C는 적분상수)$$

4. 함수의 실수배, 합, 차의 부정적분

두 함수 $y=f(x)$, $y=g(x)$에 대하여

(1) $\displaystyle\int kf(x)dx=k\int f(x)dx$ (단, k는 상수)

(2) $\displaystyle\int \{f(x)+g(x)\}dx=\int f(x)dx+\int g(x)dx$

(3) $\displaystyle\int \{f(x)-g(x)\}dx=\int f(x)dx-\int g(x)dx$

아름다운샘

8-1

함수 $y=f(x)$의 부정적분이 $F(x)=2x^3-x^2+4x+C$일 때, $f(1)$의 값을 구하시오.

(단, C는 적분상수이다.)

◯ △ ✕

8-2

$\dfrac{d}{dx}\displaystyle\int (2x-1)^2 dx=ax^2+bx+c$가 성립할 때, 세 상수 a, b, c의 합 $a+b+c$의 값을 구하시오.

◯ △ ✕

다음 부정적분을 구하시오.

(1) $\int (x+1)^2 dx - \int (x-1)^2 dx$

O △ X

(2) $\int \dfrac{x^3}{x+1} dx + \int \dfrac{1}{x+1} dx$

O △ X

함수 $y=f(x)$ 가 $f(x)=\int (3x^2-8x+2)dx$ 이고 $f(1)=3$일 때, $f(2)$의 값을 구하시오.

O △ X

곡선 $y=f(x)$는 점 $(1, -1)$을 지나고, 곡선 위의 임의의 점 (x, y)에서의 접선의 기울기는 $2x^2-4x+3$일 때, $f(0)$의 값을 구하시오. ☐ ○ △ ✕

두 함수 $y=f(x)$, $y=g(x)$가 다음 조건을 만족시킬 때, $g(3)$의 값을 구하시오. ☐ ○ △ ✕

> (가) $f(3)=2$, $f'(3)=1$
>
> (나) $\int g(x)dx = 2x^2 f(x) + C$ (단, C는 적분상수이다.)

아름다운 샘

함수 $y=F(x)$의 도함수가 $f(x)=2x-4$이고 함수 $y=F(x)$의 그래프는 x축과 접할 때, $F(1)$의 값을 구하시오. 　　　　　　　　　　 ◯ △ ✕

다항함수 $y=f(x)$와 그 부정적분 중의 하나인 $y=F(x)$ 사이에
$$F(x)=xf(x)-4x^3-2x^2, \ f(1)=-1$$
인 관계가 있을 때, $f(-1)$의 값을 구하시오. 　　　　　　　 ◯ △ ✕

8-9

다항함수 $y=f(x)$의 도함수가 $f'(x)=3x(x-2)$일 때, 함수 $y=f(x)$의 극댓값과 극솟값의 차는? ○ △ X

① 6   ② 4   ③ 3   ④ 2   ⑤ 1

8-10

그림은 삼차함수 $y=f(x)$의 도함수 $y=f'(x)$의 그래프이다.
함수 $y=f(x)$의 그래프가 원점을 지날 때, $f(3)$의 값은?

① -15 ② -10 ③ 10

④ 15   ⑤ 20

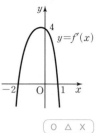

○ △ X

8-11

함수 $y=f(x)$에 대하여 $f(2)=0$이고 $\int\left\{\dfrac{d}{dx}f(x)\right\}dx=x^2-x+C$일 때, $f(3)$의 값은?

(단, C는 적분상수이다.)

◯ △ X

① -4　　　② -2　　　③ 0　　　④ 2　　　⑤ 4

8-12

세 다항식 $f(x)$, $f_1(x)$, $f_2(x)$가

$$f_1(x)=\int f(x)dx,\quad f_2(x)=\int f_1(x)dx$$

를 만족시킨다. $f_2(x)=5x^4+4x^3+3x^2+2x+1$일 때, $\displaystyle\lim_{x\to\infty}\dfrac{f(x)}{2x^2+10}$의 값을 구하시오.

◯ △ X

'함수 $y=f(x)$의 부정적분을 구하시오.'라는 문제를 잘못하여 함수 $y=f(x)$를 미분하였더니 $12x-4$가 되었다. 함수 $y=f(x)$의 부정적분 중 하나를 $y=F(x)$라 하고, $f(1)=5$, $F(0)=4$일 때, $F(2)$의 값을 구하시오. 〇 △ ✕

두 다항함수 $y=f(x)$, $y=g(x)$에 대하여 $f(0)=7$이고

$$f(x)-g(x)=3x^2-4x+8, \quad \frac{d}{dx}\{f(x)+g(x)\}=6x^2+6x+4$$

인 관계가 성립할 때, $f(-1)g(1)$의 값을 구하시오. 〇 △ ✕

8–15

삼차함수 $y=f(x)$의 도함수 $y=f'(x)$의 그래프가 그림과 같고 $y=f(x)$의 극댓값이 3, 극솟값이 -15일 때, $f(1)$의 값은?

① -2 ② $-\dfrac{5}{3}$ ③ $-\dfrac{4}{3}$

④ -1 ⑤ $-\dfrac{2}{3}$

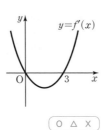

$\boxed{\text{O} \ \triangle \ \text{X}}$

8–16

다항함수 $y=f(x)$가 $\displaystyle\int \{f(x)+4x\}dx=xf(x)+2x^3-4x^2$을 만족시키고 $f(1)=12$일 때, 함수 $y=f(x)$의 최댓값을 구하시오.

$\boxed{\text{O} \ \triangle \ \text{X}}$

아름다운샘

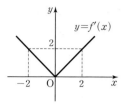

8-17

함수 $y=f(x)$의 도함수가 $f'(x)=\begin{cases} 2x+2 & (x<2) \\ k & (x>2) \end{cases}$ 이고, $f(0)=3$, $f(3)=10$이다.

함수 $y=f(x)$가 $x=2$에서 연속일 때, $f(4)$의 값을 구하시오. (단, k는 상수이다.) (○ △ X)

8-18

연속함수 $y=f(x)$의 도함수 $y=f'(x)$의 그래프가 그림과 같다.
$f(-2)=2$일 때, $f(2)$의 값은?

① 2   ② 4   ③ 6

④ 8   ⑤ 10

(○ △ X)

8-19

삼차함수 $y=f(x)$는 $x=1$에서 극값을 갖고, 원점에 대하여 대칭일 때, 이 그래프와 x축의 교점의 x좌표 중에서 양수인 것은? (○ △ X)

① $\sqrt{2}$　　② $\sqrt{3}$　　③ 2　　④ $\sqrt{5}$　　⑤ $\sqrt{6}$

8-20

임의의 두 실수 x, h에 대하여 미분가능한 함수 $y=f(x)$가 $f(x+h)=f(x)+f(h)-xh$를 만족시키고 $f'(0)=1$일 때, $f(2)$의 값을 구하시오. (○ △ X)

8 – 21

다항식 $f(x)$에 대하여

$$g(x)=\int xf(x)dx, \ \frac{d}{dx}\{f(x)+g(x)\}=x^3+4x^2-3x+4$$

일 때, $f(4)$의 값을 구하시오.　　　　　　　　　　　○ △ X

8 – 22

다항함수 $y=f(x)$에 대하여

$$x^2\int f(x)dx-2x\int xf(x)dx+\int x^2f(x)dx=kx^4+x^3+5x^2$$

이 성립한다. 함수 $y=f(x)$의 $x=1$에서의 접선의 기울기가 -6일 때, $x=2018$에서의 접선의
기울기는? (단, k는 상수이다.)　　　　　　　　　　　○ △ X

① -4　　　　② -5　　　　③ -6　　　　④ -1009　　　⑤ -2018

다음 조건을 만족시키는 삼차함수 $y=f(x)$는 $y=m(x)$, $y=n(x)$의 두 개일 때, $|m(x)-n(x)|$의 값은? ○ △ X

(가) $\displaystyle\lim_{h\to 0}\frac{f(0+h)-f(0)}{h}=0$, $\displaystyle\lim_{x\to 1}\frac{f(x)-f(1)}{x-1}=0$

(나) $x=2$에서의 접선의 기울기는 18이다.

(다) 함수 $y=f(x)$의 그래프는 x축에 접한다.

① 1
② $\dfrac{3}{2}$
③ 2
④ $\dfrac{5}{2}$
⑤ 3

임의의 두 실수 x, y에 대하여 미분가능한 함수 $y=f(x)$가

$$f(x+y)=f(x)+f(y)+\frac{3}{n}(x^n y+xy^n)+3n(n+1)x^2 y$$

를 만족시키고 $f'(0)=0$일 때, $\displaystyle\sum_{n=1}^{8}f(1)$의 값을 구하시오. ○ △ X

09 정적분

1. 정적분
① 넓이와 미분의 관계
② 정적분의 뜻

2. 정적분의 성질
① 정적분의 성질
② 분할된 구간에서의 정적분

핵심 Point

1. 넓이와 미분의 관계

함수 $y=f(t)$가 구간 $[a, b]$에서 연속이고 $a \le x \le b$일 때, 곡선 $y=f(t)$와 t축 및 두 직선 $t=a$, $t=x$로 둘러싸인 도형의 넓이를 $S(x)$라 하면

$$\Rightarrow \frac{d}{dx}S(x)=f(x)$$

2. 정적분의 정의

구간 $[a, b]$에서 연속인 함수 $y=f(x)$의 한 부정적분을 $y=F(x)$라 할 때,

$$\int_a^b f(x)dx=\left[F(x) \right]_a^b=F(b)-F(a)$$

이다. 이때, $\int_a^b f(x)dx$의 값 $F(b)-F(a)$를 $y=f(x)$의 a에서 b까지의 정적분이라고 한다.

3. 정적분의 기본 정의

(1) $a=b$일 때, $\int_a^b f(x)dx=0$

(2) $a>b$일 때, $\int_a^b f(x)dx=-\int_b^a f(x)dx$

4. 정적분의 성질

두 함수 $y=f(x)$, $y=g(x)$가 임의의 세 실수 a, b, c를 포함하는 구간에서 연속일 때,

(1) $\int_a^b k f(x)dx=k\int_a^b f(x)dx$ (단, k는 상수)

(2) $\int_a^b \{f(x) \pm g(x)\} dx=\int_a^b f(x)dx \pm \int_a^b g(x)dx$ (복부호 동순)

(3) $\int_a^c f(x)dx+\int_c^b f(x)dx=\int_a^b f(x)dx$

아름다운쌤

9-1

다음 정적분의 값을 구하시오.

(1) $\int_{-2}^{1}(3x^2+6x-5)dx$ ○ △ X

(2) $\int_{0}^{2}(4x+3)dx-\int_{3}^{2}(4t+3)dt$ ○ △ X

9-2

등식 $\int_{0}^{2}\left(x^2+2kx+\dfrac{1}{3}\right)dx=2$를 만족시키는 상수 k의 값을 구하시오.   ○ △ X

9-3

함수 $f(x)=6x^2+2ax$가 $\int_0^1 f(x)dx=f(1)$을 만족시킬 때, 상수 a의 값은? ◯ △ X

① -4 ② -2 ③ 0 ④ 2 ⑤ 4

9-4

함수 $f(x)=\int_1^x (t^2-3t+5)dt$일 때, $f'(2)$의 값을 구하시오. ◯ △ X

함수 $y=f(x)$에 대하여 $\int_2^x tf(t)dt=2x^3-4x^2$이 성립할 때, 정적분 $\int_2^4 f(x)dx$의 값을 구하시오.

(○ △ X)

함수 $f(x)=3x+1$일 때, $\int_0^1 f(x)dx+\int_1^2 f(x)dx+\cdots+\int_9^{10} f(x)dx$의 값을 구하시오.

(○ △ X)

$\int_1^3 \dfrac{x^2+3}{x+1}dx - \int_3^1 \dfrac{4t}{t+1}dt$의 값은?

○ △ X

① 7　　　② 8　　　③ 9　　　④ 10　　　⑤ 11

함수 $f(x)=3x^2+4x$에 대하여 다음 정적분의 값은?

○ △ X

$$\int_3^5 f(x)dx - \int_4^5 f(x)dx + \int_1^3 f(x)dx$$

① 90　　　② 93　　　③ 96　　　④ 99　　　⑤ 100

정적분 $\displaystyle\int_0^4 |x(x-2)|\,dx$의 값을 구하시오.　〔 ○ △ X 〕

함수 $f(x)=\begin{cases}(x-2)^2 & (x\geq1)\\ x & (x<1)\end{cases}$ 에 대하여 정적분 $\displaystyle\int_0^2 f(x)\,dx$의 값을 구하시오.　〔 ○ △ X 〕

9-11

$\sum\limits_{n=1}^{20}\int_0^1 \dfrac{1}{n}x^n dx$의 값을 구하시오.

9-12

점 $(0, 1)$을 지나는 곡선 $y=f(x)$ 위의 점 (x, y)에서의 접선의 기울기가 $3x^2-4x$일 때, 정적분 $\int_0^1 f(x)dx$의 값을 구하시오.

9-13

임의의 실수 x에 대하여 등식 $\int_2^x f(t)dt = x^2 + 2x + k$를 만족시킬 때, $f(3) + k$의 값을 구하시오. (단, k는 상수이다.) 〔○ △ X〕

9-14

함수 $y = f(x)$가 다음 조건을 만족시킬 때, 정적분 $\int_a^b f(t)dt$의 값은? 〔○ △ X〕

(가) $\int_0^a f(x)dx = 2$	(나) $\int_0^1 f(s)ds = 10$	(다) $\int_1^b f(z)dz = 4$

① 9　　　② 10　　　③ 11　　　④ 12　　　⑤ 13

아름다운샘

함수 $f(x)=\int_{1}^{x}(t^2+1)dt$ 일 때, $\lim\limits_{h\to 0}\dfrac{f(1+3h)-f(1)}{h}+\lim\limits_{x\to 1}\dfrac{f(x)}{x-1}$ 의 값을 구하시오.

$\boxed{\text{O}\ \triangle\ \text{X}}$

$f(0)=0$ 인 이차함수 $y=f(x)$ 가 $\lim\limits_{x\to 2}\dfrac{f(x)-f(2)}{x^2-4}=\dfrac{7}{2}$, $\int_{0}^{1}f(x)dx=2$ 를 만족시킬 때, $f(1)$ 의 값을 구하시오.

$\boxed{\text{O}\ \triangle\ \text{X}}$

아름다운샘

이차함수 $y=f(x)$는 $f(0)=-1$이고,
$$\int_{-1}^{1} f(x)\,dx = \int_{0}^{1} f(x)\,dx = \int_{-1}^{0} f(x)\,dx$$
를 만족시킨다. $f(2)$의 값은?

○ △ X

① 11　　　② 10　　　③ 9　　　④ 8　　　⑤ 7

등식 $\displaystyle\int_{-1}^{3} (k-|2x|)\,dx = 14$를 만족시키는 상수 k의 값을 구하시오.

○ △ X

함수 $y=f(x)$의 그래프가 그림과 같을 때, 정적분 $\int_{-1}^{2} xf(x)dx$의 값을 구하시오.

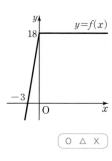

$\boxed{\text{O} \;\; \triangle \;\; \text{X}}$

함수 $f(x)=\begin{cases} 2x-1 & (-1 \leq x \leq 1) \\ 0 & (x<-1 \text{ 또는 } x>1) \end{cases}$ 일 때, 정적분 $\int_{-1}^{1} xf(x+1)dx$의 값을 구하시오.

$\boxed{\text{O} \;\; \triangle \;\; \text{X}}$

아름다운샘

9-21

모든 실수 x에 대하여 연속인 함수 $y=f(x)$가 다음 조건을 만족시킬 때, 정적분 $\displaystyle\int_5^6 f(x)dx$의

값을 구하시오. (○ △ X)

(가) $\displaystyle\int_0^1 f(x)dx=1$

(나) $\displaystyle\int_n^{n+2} f(x)dx=\int_n^{n+1} 2xdx$ (단, $n=0, 1, 2, \cdots$)

9-22

함수 $f(x)=x^3$의 그래프를 x축의 방향으로 a만큼, y축의 방향으로 b만큼 평행이동시켰더니 함수 $y=g(x)$의 그래프가 되었다.

$$g(0)=0, \int_a^{3a} g(x)dx-\int_0^{2a} f(x)dx=32$$

일 때, a^4의 값을 구하시오. (○ △ X)

함수 $y=f(x)$가 모든 실수 x에 대하여 미분가능하고

$$f(x)=x^3+ax^2+bx+\int_2^x(3t^2-6t)\,dt$$

가 성립한다. 다항식 $f(x)$가 $x-1$, $x-2$로 나누어떨어질 때, 다음 중 다항식 $f(x)$의 인수인 것은? (단, a, b는 상수이다.) (○ △ X)

① $x-4$ ② $x-3$ ③ x ④ $x+1$ ⑤ $x+2$

최고차항의 계수가 1인 이차함수 $y=f(x)$가 다음 조건을 만족시킨다.

(개) 모든 실수 a에 대하여 $\displaystyle\int_{2-a}^1 f(x)\,dx=\int_1^a f(x)\,dx$

(나) $\displaystyle\int_{-1}^3 f(x)\,dx=\dfrac{4}{3}$

$f(4)$의 값을 구하시오. (○ △ X)

10 정적분의 응용

1. 여러 가지 함수의 정적분
① 우함수와 기함수의 정적분
② 주기함수의 정적분

2. 정적분으로 정의된 함수
① 정적분으로 정의된 함수의 미분
② 정적분으로 정의된 함수의 극한

1. 우함수와 기함수의 정적분
함수 $y=f(x)$가 구간 $[-a, a]$에서 연속이고

(1) $f(-x)=f(x)$일 때, $\int_{-a}^{a} f(x)dx = 2\int_{0}^{a} f(x)dx$

(2) $f(-x)=-f(x)$일 때, $\int_{-a}^{a} f(x)dx = 0$

2. 주기함수의 정적분
함수 $y=f(x)$가 임의의 실수 x에 대하여
$f(x+p)=f(x)$ (p는 0이 아닌 상수)일 때,

(1) $\int_{a+np}^{b+np} f(x)dx = \int_{a}^{b} f(x)dx$ (단, n은 정수)

(2) $\int_{a}^{a+np} f(x)dx = n\int_{0}^{p} f(x)dx$ (단, n은 정수)

3. 정적분으로 정의된 함수의 미분

(1) $\dfrac{d}{dx} \int_{a}^{x} f(t)dt = f(x)$ (단, a는 상수)

(2) $\dfrac{d}{dx} \int_{x}^{x+a} f(t)dt = f(x+a) - f(x)$ (단, a는 상수)

4. 정적분으로 정의된 함수의 극한

(1) $\displaystyle\lim_{x \to a} \dfrac{1}{x-a} \int_{a}^{x} f(t)dt = f(a)$

(2) $\displaystyle\lim_{x \to 0} \dfrac{1}{x} \int_{a}^{x+a} f(t)dt = f(a)$

10 – 1

정적분 $\displaystyle\int_{-1}^{1} (2x+1)(3x-2)dx$의 값을 구하시오. (○ △ X)

10 – 2

$\displaystyle\int_{-2}^{0} (x^5-2x^3+3x^2-2)dx+\int_{0}^{2} (x^5-2x^3+3x^2-2)dx$의 값을 구하시오. (○ △ X)

아름다운샘

두 함수 f, g가 다음 조건을 만족시킬 때, 정적분 $\displaystyle\int_{-1}^{1}\{f(x)+g(x)\}dx$의 값을 구하시오.

O △ X

(가) $f(-x)=f(x),\ g(-x)=-g(x)$

(나) $\displaystyle\int_{0}^{1}f(x)dx=3,\ \int_{0}^{1}g(x)dx=5$

다음 **보기**에서 옳은 것만을 있는 대로 고른 것은?

O △ X

─┤ 보기 ├─

ㄱ. $\displaystyle\int_{0}^{2}f(x)dx=-\int_{-2}^{0}f(x)dx$

ㄴ. $\displaystyle\int_{0}^{2}f(x)dx=\int_{0}^{-1}f(x)dx+\int_{-1}^{2}f(x)dx$

ㄷ. 함수 f에 대하여 $f(-x)=-f(x)$이면 $\displaystyle\int_{-1}^{1}f(x)dx=0$

① ㄱ   ② ㄱ, ㄴ   ③ ㄱ, ㄷ   ④ ㄴ, ㄷ   ⑤ ㄱ, ㄴ, ㄷ

모든 실수에서 연속인 함수 f가 $f(x+2)=f(x)$, $\int_1^3 f(x)dx=4$를 만족시킬 때, 정적분 $\int_0^{10} f(x)dx$의 값을 구하시오.　　　　$\boxed{\text{O △ X}}$

다항함수 f가 $f(x)=3x^2+2x-\int_0^1 f(x)dx$를 만족시킬 때, $f(1)$의 값은?　　$\boxed{\text{O △ X}}$

① 1　　　　② 2　　　　③ 3　　　　④ 4　　　　⑤ 5

다항함수 f가 $\displaystyle\int_1^x f(t)dt = xf(x) - 3x^2$을 만족시킬 때, $f(5)$의 값을 구하시오.　○ △ Ｘ

함수 $f(x) = \displaystyle\int_1^x (t^2 - 4)dt$의 극솟값을 구하시오.　○ △ Ｘ

$\lim\limits_{x \to 2} \dfrac{1}{x-2} \displaystyle\int_2^x (t^2-3t+3)\,dt$의 값을 구하시오.

◯ △ ✕

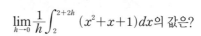

$\lim\limits_{h \to 0} \dfrac{1}{h} \displaystyle\int_2^{2+2h} (x^2+x+1)\,dx$의 값은?

◯ △ ✕

① 6 　　② 8 　　③ 10 　　④ 12 　　⑤ 14

STEP **B** 연습문제

10 - 11

함수 $f(x)=1+2|x|+3|x|^2$에 대하여 정적분 $\int_{-2}^{2} xf(x)dx$의 값을 구하시오. (○ △ ✕)

10 - 12

실수 전체의 집합에서 연속인 함수 f가 임의의 실수 x에 대하여 다음 조건을 만족시킨다.

(가) $f(-x)=f(x)$	(나) $f(x+2)=f(x)$

$\int_{0}^{1} f(x)dx=3$일 때, 정적분 $\int_{-4}^{6} f(x)dx$의 값을 구하시오. (○ △ ✕)

10-13

실수 전체의 집합에서 연속인 함수 f가 $f(3+x)=f(3-x)$를 만족시키고 $\displaystyle\int_1^5 f(x)dx=10$, $\displaystyle\int_5^8 f(x)dx=3$일 때, 정적분 $\displaystyle\int_{-2}^3 f(x)dx$의 값을 구하시오.

(○ △ X)

10-14

모든 실수 x에 대하여 $\displaystyle\int_a^x (x-t)f(t)dt=\dfrac{2}{3}x^3-3x^2+4x-1$을 만족시킬 때, $f(2)$의 값을 구하시오. (단, a는 상수이다.)

(○ △ X)

함수 $f(x) = \int_0^x (t-2)(t-a)dt$가 $x=2$에서 극솟값 $\dfrac{2}{3}$를 가질 때, 극댓값을 구하시오.

○ △ X

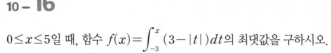

$0 \le x \le 5$일 때, 함수 $f(x) = \int_{-3}^x (3-|t|)dt$의 최댓값을 구하시오.

○ △ X

이차함수 $y=f(x)$의 그래프가 그림과 같다.

함수 $g(x)=\displaystyle\int_{x}^{x+2} f(t)dt$가 $x=a$에서 최솟값을 가질 때,

양수 a의 값을 구하시오.

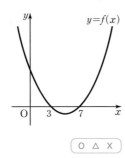

○ △ X

다항함수 f에 대하여 등식

$$\int_{1}^{x}(4t+5)f(t)dt=3(x+2)\int_{1}^{x}f(t)dt,\ f(0)=3$$

이 항상 성립할 때, $f(3)$의 값을 구하시오.

○ △ X

함수 $f(x)=3x^2+2x-4$일 때, $\displaystyle\lim_{x\to 1}\frac{1}{x-1}\int_1^{x^3} f(t)dt$의 값을 구하시오. ⟨ ○ △ X ⟩

다항함수 f에 대하여 $f'(x)=3x^2-8x-3$이고 $\displaystyle\lim_{x\to 2}\frac{1}{x-2}\int_2^{x} f(t)dt=-10$일 때, $f(1)$의 값을 구하시오. ⟨ ○ △ X ⟩

10 – **21**

함수 f가 다음 조건을 만족시킬 때, 정적분 $\int_1^7 f(x)dx$의 값을 구하시오. (O △ X)

> (가) $0 \leq x \leq 2$에서 $f(x) = |x^2-1| + \int_0^2 f(x)dx$
>
> (나) 모든 실수 x에 대하여 $f(x+2) = f(x)$

10 – **22**

다음 방정식의 두 근의 합이 10일 때, 상수 k의 값을 구하시오. (O △ X)

> $$\int \left\{ \frac{d}{dx}(2x^2 - kx + 4) \right\} dx = \frac{d}{dx} \left\{ \sum_{n=1}^{10} \int_0^x (t + n^2)dt \right\}$$

아름다운샘

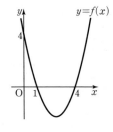

그림과 같은 이차함수 $y=f(x)$에 대하여 함수 $y=F(x)$를

$$F(x)=\int_1^x f(t)\,dt$$

라 할 때, **보기**에서 옳은 것만을 있는 대로 고른 것은?

┤ 보기 ├

ㄱ. $f(2)=-2$

ㄴ. 함수 $y=F(x)$는 극댓값과 극솟값을 갖는다.

ㄷ. $x<1$일 때, 함수 $y=F(x)$의 그래프는 x축과 만난다.

① ㄱ ② ㄱ, ㄴ ③ ㄱ, ㄷ ④ ㄴ, ㄷ ⑤ ㄱ, ㄴ, ㄷ

◯ △ ✕

다항함수 $y=f(x)$의 부정적분 중의 하나인 $y=F(x)$에 대하여 $xf(x)=F(x)-3x^3(x-2)$가

성립한다. $f(0)=2$일 때, $\displaystyle\lim_{x\to 1}\frac{1}{x-1}\int_1^{x^3} f(t)\,dt$의 값을 구하시오.

◯ △ ✕

11 정적분의 활용

1. 넓이
① 곡선과 x축 사이의 넓이
② 곡선과 y축 사이의 넓이
③ 두 곡선으로 둘러싸인 도형의 넓이

2. 속도와 거리
① 위치와 위치의 변화량
② 움직인 거리

1. 곡선과 x축 사이의 넓이
구간 $[a, b]$에서 곡선 $y=f(x)$와 x축 및 두 직선
$x=a$, $x=b$로 둘러싸인 도형의 넓이 S는

$$S=\int_a^b |f(x)|\, dx$$

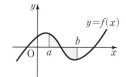

2. 두 곡선 사이의 넓이
구간 $[a, b]$에서 두 곡선 $y=f(x)$, $y=g(x)$와 두 직선
$x=a$, $x=b$로 둘러싸인 도형의 넓이 S는

$$S=\int_a^b |f(x)-g(x)|\, dx$$

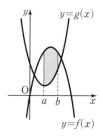

3. 위치와 위치의 변화량
수직선 위를 움직이는 점 P의 시각 t에서의 속도를 $v(t)$, 시각 $t=a$에서의
점 P의 위치를 $s(a)$라 할 때,
(1) 시각 t에서의 점 P의 위치는
➡ $s(t)=s(a)+\displaystyle\int_a^t v(t)dt$
(2) 시각 $t=a$에서 $t=b$까지의 점 P의 위치의 변화량은
➡ $\displaystyle\int_a^b v(t)dt$

4. 움직인 거리
수직선 위를 움직이는 점 P의 시각 t에서의 속도가 $v(t)$일 때,
시각 $t=a$에서 $t=b$까지 점 P가 움직인 거리 s는
➡ $s=\displaystyle\int_a^b |v(t)|\, dt$

11-1

곡선 $y=x^2-4x+3$과 x축으로 둘러싸인 도형의 넓이를 구하시오.　 (○ △ X)

11-2

곡선 $y=x^2(x-1)$과 x축으로 둘러싸인 도형의 넓이를 구하시오.　 (○ △ X)

아름다운샘

다음 그림에서 색칠한 도형의 넓이를 구하시오.

(1)

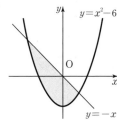

$y=x^2-6$

$y=-x$

(2)

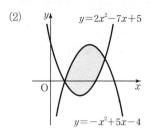

$y=2x^2-7x+5$

$y=-x^2+5x-4$

아름다운샘

11-4

곡선 $y=-x^2-x+2$와 x축 및 두 직선 $x=-3$, $x=-1$로 둘러싸인 도형의 넓이를 구하시오.

$\boxed{\text{O} \ \triangle \ \text{X}}$

11-5

그림과 같이 이차함수 $y=ax^2+bx+c$와 x축 및 y축으로 둘러싸인 도형의 넓이를 S라 할 때, $3S$의 값을 구하시오.

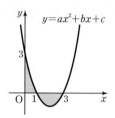

$\boxed{\text{O} \ \triangle \ \text{X}}$

11-6

그림과 같이 원 $x^2+y^2=1$과 곡선 $y=x^2-2x+1$로 둘러싸인 도형의 넓이는?

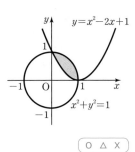

① $\dfrac{\pi}{4}-\dfrac{2}{3}$

② $\dfrac{\pi}{4}-\dfrac{1}{3}$

③ $\pi-\dfrac{8}{3}$

④ $\dfrac{\pi}{4}+\dfrac{1}{2}$

⑤ $\pi-\dfrac{4}{3}$

$\boxed{\text{O} \ \triangle \ \text{X}}$

11-7

곡선 $y=kx^3 \ (k>0)$과 x축 및 두 직선 $x=1$, $x=3$으로 둘러싸인 도형의 넓이가 80일 때, k의 값을 구하시오.

$\boxed{\text{O} \ \triangle \ \text{X}}$

곡선 $y=x(x-2)$와 x축으로 둘러싸인 도형의 넓이 S_1과 곡선 $y=ax(x-4)$ $(a>0)$와 x축으로 둘러싸인 도형의 넓이 S_2가 같을 때, 상수 a의 값은?　ㅇ △ X

① $\dfrac{1}{8}$　　② $\dfrac{1}{4}$　　③ $\dfrac{1}{2}$　　④ 1　　⑤ $\dfrac{3}{2}$

직선 궤도 위를 $30\,\mathrm{m/s}$의 속도로 달리고 있는 전동차가 제동을 건지 t초 후의 속도 $v(t)$는 $v(t)=30-2t\,(\mathrm{m/s})$라고 한다. 이 전동차가 제동을 건 후 달린 거리는?　ㅇ △ X

① $49.6\,\mathrm{m}$　② $60\,\mathrm{m}$　③ $120\,\mathrm{m}$　④ $200\,\mathrm{m}$　⑤ $225\,\mathrm{m}$

11 - 10

그림은 원점을 출발하여 수직선 위를 움직이는 점 P의 시각 t에서의 속도 $v(t)$의 그래프를 나타낸 것이다. **보기**에서 옳은 것만을 있는 대로 고른 것은? (단, $0 \le t \le 7$) ○ △ X

┌─────── 보기 ───────┐
ㄱ. 운동 방향을 2번 바꾼다.
ㄴ. 출발 후 원점을 두 번 지난다.
ㄷ. 7초 동안 움직인 거리는 4이다.
└────────────────────┘

① ㄱ　　② ㄴ　　③ ㄱ, ㄷ　　④ ㄴ, ㄷ　　⑤ ㄱ, ㄴ, ㄷ

11 - 11

그림과 같이 곡선 $y = 2x^2$과 직선 $y = 2x$는 사각형 OABC를 세 부분으로 나눈다. 세 부분의 넓이를 각각 S_1, S_2, S_3라 할 때, $S_1 : S_2 : S_3$를 구하시오.

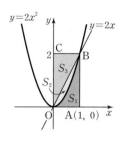

○ △ X

그림과 같이 곡선 $y=x^3$과 직선 $y=k$, y축 및 직선 $x=1$로 둘러싸인 두 도형 A, B의 넓이가 같을 때, 상수 k의 값을 구하시오.

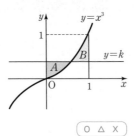

O △ X

곡선 $y=|x(x-1)|$과 직선 $y=2x+4$로 둘러싸인 도형의 넓이를 구하시오.

O △ X

11-14

곡선 $y=x(x-1)(x-4)$ 위의 점 $(1, 0)$에서 이 곡선에 접하는 직선을 그을 때, 이 직선과 곡선으로 둘러싸인 도형의 넓이를 구하시오. 　　〔 O △ X 〕

11-15

함수 $f(x)=x^3+x^2+x$의 역함수를 $y=g(x)$라 할 때, 두 곡선 $y=f(x)$, $y=g(x)$로 둘러싸인 도형의 넓이는? 　　〔 O △ X 〕

① $\dfrac{1}{12}$　　　② $\dfrac{1}{8}$　　　③ $\dfrac{1}{6}$　　　④ $\dfrac{1}{4}$　　　⑤ $\dfrac{1}{3}$

11 – 16

곡선 $y=-x^2+2x$와 x축으로 둘러싸인 도형의 넓이가 직선 $y=ax$에 의하여 이등분 될 때, 상수 a의 값을 구하시오.

$\boxed{\text{O} \;\triangle\; \text{X}}$

11 – 17

곡선 $f(x)=x^2-2x+a-|2x-2|$가 점 A$(1, 1)$을 지난다. 원점 O와 점 A를 지나는 직선을 l이라 할 때, 직선 l과 곡선 $y=f(x)$로 둘러싸인 두 도형의 넓이의 합을 구하시오.

(단, a는 상수이다.)

$\boxed{\text{O} \;\triangle\; \text{X}}$

이차함수 $y=f(x)$의 도함수 $y=f'(x)$의 그래프가 그림과 같고, 상수 a에 대하여 다음 등식을 만족시킨다.

$$\int_0^x \{f(t)+3a\}dt = x^3 - ax^2$$

이때, $y=f(x)$의 그래프와 x축으로 둘러싸인 도형의 넓이를 구하시오.

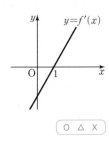

O △ X

엘리베이터가 1층에서 출발하여 옥상까지 쉬지 않고 올라가는데, 처음 2초는 $2\,\mathrm{m/s^2}$의 가속도로 속도가 증가하고 다음 4초는 $4\,\mathrm{m/s}$의 일정한 속도로 오르며, 다음 2초는 $2\,\mathrm{m/s^2}$의 가속도로 감속하여 정지하였다. 이 건물의 옥상까지의 높이는?

O △ X

① $16\,\mathrm{m}$ ② $18\,\mathrm{m}$ ③ $20\,\mathrm{m}$ ④ $22\,\mathrm{m}$ ⑤ $24\,\mathrm{m}$

11-20

직선 운동을 하는 점 P의 시각 t에 대한 속도 $v(t)$의 그래프가 그림과 같을 때, 보기에서 옳은 것만을 있는 대로 고른 것은?

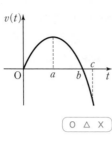

◯ △ ✕

─── 보기 ───

ㄱ. $t=a$에서 $t=b$까지 점 P가 운동한 거리는 $\displaystyle\int_a^b v(t)dt$이다.

ㄴ. $\displaystyle\int_0^c v(t)dt=0$이면 $t=c$일 때 점 P는 출발점과 같은 위치이다.

ㄷ. $t=a$일 때, $v'(t)=0$이므로 점 P는 순간적으로 정지 상태이다.

① ㄱ   ② ㄴ   ③ ㄱ, ㄴ   ④ ㄱ, ㄷ   ⑤ ㄱ, ㄴ, ㄷ

11-21

실수 전체의 집합에서 연속인 함수 $y=f(x)$가 다음 조건을 만족시킨다. 곡선 $y=f(x)$와 x축 및 두 직선 $x=-\dfrac{3}{2}$, $x=\dfrac{5}{2}$로 둘러싸인 도형의 넓이를 구하시오.

◯ △ ✕

(가) 임의의 실수 x에 대하여 $f(x)=f(x+2)$
(나) 임의의 실수 x에 대하여 $f(-x)=-f(x)$
(다) $\displaystyle\int_0^1 |f(x)|dx=2$

y절편이 2인 함수 $y=f(x)$의 그래프 위의 임의의 점 $(t,\,f(t))$에서의 접선의 방정식이 $y=(t+1)x+g(t)$로 주어질 때, 두 곡선 $y=f(x)$와 $y=g(x)$로 둘러싸인 도형의 넓이를 구하시오.　　(○ △ X)

함수 $y=f(x)$가 다음 조건을 만족시킨다.

> (가) $f(x)=|x|$ $(-1\le x\le 1)$
> (나) 모든 실수 x에 대하여 $f(x+2)=f(x)$

$0\le x\le 4$에서 $y=\{f(x)\}^n$의 그래프와 x축으로 둘러싸인 도형의 넓이를 S_n이라 할 때, $\displaystyle\sum_{n=1}^{16}S_nS_{n+1}$의 값을 구하시오.　　(○ △ X)

아름다운샘

수직선 위를 움직이는 점 P의 속도 $v(t)$는 $v(6-t)=v(6+t)$ 를 만족시키고 그래프의 일부가 그림과 같다. $x(a)=\displaystyle\int_0^a v(t)dt$ 라 할 때, $x(2)=3$, $x(4)=-1$, $x(6)=1$을 만족시키는 점 P 가 $t=6$에서 $t=10$까지 실제로 움직인 거리를 구하시오.

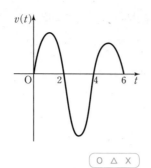

○ △ X